UNE SALETÉ

FRÉDÉRIQUE CLÉMENÇON

UNE SALETÉ

LES ÉDITIONS DE MINUIT

© 1998 by LES ÉDITIONS DE MINUIT
7, rue Bernard-Palissy, 75006 Paris

ISBN 2-7073-1626-1

À ma mère.

Un cadavre en habit de fête

Ta grand-mère me soufflant le jour du mariage, il fallait oser, mais c'est qu'elle avait un sacré culot cette vieille cinglée, les saletés qu'elle m'a dites ce jour-là tout de même, rata-tinée dans sa robe à frous-frous qui laissait voir les bretelles de sa combinaison, il faisait si froid, on n'avait pas idée, on peut dire que j'en ai eu pour mon compte, pas du tout ce qu'on pouvait imaginer pourtant car elle y a mis les formes, ce qu'elle disait très calme, très doux, un filet de voix, pas de scandale ou quoi que ce soit de ce genre, les cris, les hurlements, le tralala habituel, je n'ai d'ailleurs pas compris tout de suite ce qu'elle me disait, où elle voulait en venir, il fal-lait la voir se frotter contre moi comme une chatte, elle avait dû répéter ça des dizaines de fois, se réjouissant de ce qu'elle me glisserait bientôt à l'oreille, je sentais le souffle tiède de sa respiration sur ma tempe, c'était avant la cérémonie, disons une heure avant, nous étions tous les trois sur le perron, ton père, ta grand-mère et moi, prêts à partir, ton père semblait mal à l'aise dans son costume tout neuf, je n'étais pas très bien non plus, ma robe était trop serrée, je sentais ses petites agrafes métalliques me griffer le dos, c'était désagréable, et puis j'avais du mal à respirer, j'avais essayé cette robe une semaine tout au plus avant le mariage, quelques minutes c'est tout dans la cuisine, ta grand-mère avait pris un jour mes mesures et s'était chargée du reste, elle était allée voir une couturière, avait choisi le tissu avec elle, elle ne m'avait pas demandé mon avis, la robe était arrivée quinze jours plus tard dans un carton enveloppé de papier kraft, elle m'avait appelée pour que je vienne l'essayer ou plutôt elle avait envoyé ton grand-père me chercher, suivez-moi s'il vous plaît ma femme veut vous voir, ton grand-père articulant, décortiquant chaque mot comme si j'avais été une parfaite imbécile, sa cigarette tremblait entre ses lèvres épaisses, vous comprenez ce que je vous dis alors qu'est-ce que vous attendez pour monter dans la voiture, on ne voyait bouger que sa bouche et sa cigarette dont la fumée voletait dans l'embrasure de la porte,

10

des petits ronds de fumée bleue qui se tordaient puis s'évanouissaient au-dessus de sa tête, la robe était encore pliée dans le carton quand j'étais entrée, le carton posé sur la table de la cuisine, le papier kraft avait été jeté par terre, la table n'était pas débarrassée, il y avait des assiettes et des couverts sales empilés dans un coin, la cuisine empestait le navet, la couturière avait dû apporter la robe pendant qu'ils mangeaient, ta grand-mère l'avait sortie de son carton et me l'avait tendue, je me souviens que ses mains étaient couvertes de taches brunes, elle ne m'avait pas demandé à ce moment-là non plus si elle me plaisait, si je la trouvais jolie, cette robe, déshabillez-vous et essayez ça, c'est tout ce qu'elle avait dit, j'avais dû me déshabiller et l'essayer devant elle, ton père et ton grand-père avaient quitté la cuisine, étaient sortis dans la cour, je les voyais de temps en temps passer devant la fenêtre, debout devant moi un tablier noué autour de la taille elle m'observait des pieds à la tête, je n'arrivais pas à défaire mon corsage, la vérité c'est que je tremblais comme une feuille, les boutons semblaient coincés dans leur boutonnière, je n'osais pas enlever ma jupe devant elle, c'était idiot je me sentais honteuse, une enfant convoquée pour une visite médicale

11

à qui on allait annoncer qu'elle avait la tuber-culose et qu'il fallait l'enfermer, la mettre en quarantaine, elle souriait d'un drôle d'air, moi presque nue maintenant devant elle car je n'avais plus sur moi qu'une culotte et un sou-tien-gorge j'étais humiliée, plus encore que le jour du mariage tandis qu'elle me parlait à l'oreille, je me demandais à quoi elle pensait ses yeux brillants détaillant chaque partie de mon corps, l'évaluant comme du bétail, trop grasse, trop maigre, bonne pour l'abattoir, je me disais que c'était peut-être moi qui ne tournais pas rond, souvent on se fait des idées c'est vrai, j'imaginais comme elle le faisait pour moi les mains de sa future belle-mère se posant sur sa peau et mesurant à l'aide d'un mètre froid ses épaules, sa poitrine, ses hanches, sa taille, ou plutôt non, je ne pouvais imaginer qu'une vieille femme racornie et fripée fourrée dans une robe de mariée trop grande, cette image me faisait horreur, un cadavre en habit de fête perdu dans des mètres de dentelles, de tulle et de satin blancs, quand j'avais essayé la robe il m'avait semblé sur le moment qu'elle m'allait bien, du moins ne me serrait-elle pas autant que le jour du mariage, c'était curieux tout de même, je me suis dit après qu'elle avait fait exprès de resserrer les attaches et que ça devait l'amuser de savoir que j'étouffais là-dedans, que les agrafes me rentraient dans la peau, elle aimait bien ce genre de saletés, ton grand-père attendait dans la voiture dont les portières étaient grandes ouvertes, la énième voiture depuis qu'il avait acheté la maison, une Renault blanche quatre portes, il tapotait le volant du bout des doigts et fumait une cigarette, une Gauloise, qui ne quittait jamais ses lèvres, quand il parlait on voyait son mégot trembloter, je ne supportais pas cette odeur, une odeur âcre qui empestait dans toute la maison, imprégnait les vêtements, les cheveux, la cigarette se consumait jusqu'à ce que la cendre tombe par terre ou sur son pantalon, il l'écrasait du pied, la balayait du revers de la main, cette partie de sa main était toujours grisâtre et sale, je me souviens aussi qu'il y avait tout autour de la voiture ces décorations qu'on voit souvent sur les voitures ces jours-là, des fleurs en papier crépon de toutes les couleurs et des rubans de tulle qui restent là pendant des semaines et se décolorent petit à petit, je ne sais pas qui avait installé ces décorations, je les ai découvertes ce matin-là en arrivant avec ton grand-père qui était venu me chercher parce que tout de même il fallait sauvegarder les apparences, tout devait se dérouler dans les règles même si je n'étais pas la perle rare dont ils rêvaient, j'avais eu toutes les peines du monde à enfiler la robe, ta grand-mère, donc, me soufflant à l'oreille, je sentais sa main s'écraser sur mon épaule et s'accrocher au tissu de ma robe, ta grand-mère me murmurant au creux de l'oreille de ce ton mielleux dont elle a toujours usé avec moi que son fils lui appartenait et que je ne pourrais jamais m'interposer entre eux c'est-à-dire entre son mari, son fils et elle, que je ne pourrais jamais les séparer, c'était sans doute ce que je voulais, le garder pour moi seule, l'accaparer, parce que c'est ce qu'on cherche mais je n'avais rien à espérer, ça ne risquait pas d'arriver parce qu'elle nous surveillerait, son fils et moi, vous n'aurez pas une minute de répit, vous m'entendez, espèce de petite pute, voilà ce qu'elle me disait à l'oreille sur le perron en s'accrochant à moi, l'heure de la cérémonie approchait, vieille cinglée folle de son fils, et moi qui me laissais traiter comme un chien sans rien dire, sa main pesait de plus en plus lourd sur mon épaule, une chape de plomb, je crois que ton père n'a rien entendu, il ne faisait pas attention, non, il n'a rien remarqué, c'est sûr, je ne lui en ai jamais parlé, je me demande ce qu'il aurait dit s'il avait su ce que cette vieille toquée me racontait, là, à quelques mètres, sa tête penchée sur mon épaule comme un perroquet sur son perchoir, je crois qu'il ne se doutait de rien, il essayait d'ajuster son costume, tirait sur le bas de sa veste comme s'il la trouvait trop courte, il nous regardait de temps en temps mais à aucun moment il n'a fait mine de nous rejoindre, il souriait d'un air timide, il nous attendait je crois, il avait l'air un peu nerveux lui aussi, nous l'étions tous, à l'exception de ton grand-père qui pendant tout ce temps n'a pas dit un mot, les mains toujours posées sur le volant il ne nous regardait pas, il était immobile dans la voiture, il n'y avait que le bout de ses doigts qui s'agitait, je me disais que j'allais devoir monter tout à l'heure dans cette voiture empestant la fumée, j'avais envie de vomir, de toute façon je suis certaine que ta grand-mère n'a pas dû se gêner pour dire·à ton père ce qu'elle pensait de cette histoire, elle lui avait même dit bien avant le mariage ce qu'elle pensait de moi c'est-à-dire la même chose que son mari, une petite pute, et cette robe qui me serrait de plus en plus, je suffoquais, je me retenais pour ne pas éclater en sanglots, de quoi j'aurais eu l'air, les yeux rougis et gonflés en arrivant à l'église, vive la mariée,

15

tu parles d'un mariage, devant tous ces gens que je ne connaissais pas ou presque, l'audace de cette femme qui vous déballe son sac l'air de rien, on ne comprend pas, et puis on devine que quelque chose ne tourne pas rond, une pute, j'épousais son fils, et alors la belle affaire, on allait habiter sous le même toit, ton grand-père avait décidé ça, bon, qu'est-ce que je pouvais dire moi, rien, ils n'ont été séparés que quelques jours, une semaine pour être exacte, le temps de notre voyage de noces, quelques jours passés loin d'eux dans les Pyrénées, je les avais oubliés, j'avais oublié ce qu'elle m'avait dit ce jour-là sur le perron, il fallait être patient, pardonner, tout s'arrangerait, mais la vérité c'est qu'il était déjà trop tard, tout de même je dois dire que j'ai été dépassée par les événements, il y a certaines choses qu'on ne peut pas prévoir n'est-ce pas, pourtant j'avais bien deviné quand j'ai vu tes grands-parents poser sur moi leur regard méprisant le jour où ton père avait décidé de me les présenter que je ne leur plaisais pas, que je n'étais pas assez bien pour eux, c'est qu'ils avaient pour leur fils d'autres ambitions que ce mariage minable, ils étaient tous les deux assis sur le canapé du salon, un canapé vert canard, les mains croisées sur les genoux ils me regardaient d'un sale œil, ton grand-père disant à ton père tu nous ramènes la première imbécile venue qui nous lécherait les pieds si on le lui demandait, disant il a fallu que parmi toutes les filles du coin tu choisisses celle-là, mon pauvre fils, à travers les voilages blancs qui balayaient le carrelage je voyais l'ombre du séquoia s'écraser sur la pelouse, on était en automne et pourtant il faisait une chaleur étouffante, l'année suivante je crois la foudre s'est abattue sur le séquoia, on a entendu pendant la nuit un crépitement comme si tout près de nous quelqu'un s'était amusé à marcher sur des brindilles sèches, on a découvert le lendemain cette longue cicatrice brune, une déchirure nette qui coupait le tronc de haut en bas, puis l'arbre a commencé à dépérir, l'écorce s'est décollée du tronc, des plus grosses branches, les aiguilles se sont desséchées, ont roussi puis sont tombées sur le sol, des centaines d'aiguilles rousses se déplaçaient avec le vent centimètre par centimètre, grouillaient, serpentaient comme des petits vers, à la fin on ne voyait plus que ses branches courbes et nues, énormes, tournées vers le ciel comme pour une prière, on a fini par l'abattre, pendant plusieurs jours on a entendu les tronçonneuses s'acharner sur le bois orangé, presque rouge, où perlaient des gouttes de résine qui poissaient les doigts, on a senti cette odeur de résine longtemps encore après que les tas de bois qui avaient envahi le parc ont disparu, je me tenais debout devant eux, à côté de ton père, en retrait d'un ou deux pas, moi grotesque dans cette robe à pois jaunes dont l'encolure bâillait, dont le col se relevait de façon ridicule mais ton père ne m'avait pas laissé le temps de le repasser ou de choisir une autre robe, enfin quelque chose de mieux pour une première rencontre, ton grand-père cigarette au bec, ils me dévisageaient d'un drôle d'air, de cet air qu'avait ta grand-mère quand j'ai essayé la robe quelques semaines plus tard, mais je ne pouvais pas deviner ce qui m'attendait, non, ma vie en miettes autant dire pas du tout ce que j'espérais, en vérité rien d'extraordinaire, je rêvais d'une vie tranquille, ton père à mes côtés, je voulais avoir une maison à moi ou plutôt non je ne voulais rien de ce genre c'est-à-dire que je n'y avais pas pensé, ça m'était égal d'habiter avec eux mais leur maison était si triste, je n'aurais pas dû me laisser faire, j'aurais dû partir, oui, j'aurais dû partir et les laisser, ton père avec.

Condoléances et emménagement

Lorsqu'on a quitté la départementale, empruntant sur la droite un pont de pierre haut d'à peine plus de deux mètres sous lequel stagne une eau peu profonde couverte de lentilles et de nénuphars (on y pêchait autrefois des écrevisses et il n'était pas rare, l'école finie, de voir les enfants des villages environnants se regrouper en bandes rivales au bord du ruisseau dont ils balayaient les fonds sablonneux avec des épuisettes de fortune – ils avaient jeté sur l'herbe grasse de la berge, à l'abri des saules, cartables, blousons, chaussures –, l'eau claire alors ruisselait entre les cailloux gris et moussus qui s'agglutinaient par endroits pour former une chaîne de montagne miniature où les enfants aimaient venir se percher, sautant de la rive sur les cailloux qui vacillaient sous le choc et menaçaient de les faire tomber dans l'eau glacée), il faut rouler un quart d'heure environ sur une route étroite serpentant à travers bois et prairies avant d'apercevoir entre les arbres du parc (chênes, marronniers, tilleuls, noisetiers, pins et cèdres plantés en bosquets, les tilleuls seuls bordant l'allée qui conduit le visiteur de la grille blanche, aujourd'hui rouillée, à l'escalier de granit) les pics élancés du toit d'ardoise qui s'élève à plusieurs mètres au-dessus des fenêtres du dernier étage, fenêtres ovales, carrées ou rectangulaires percées sans souci de symétrie ni de taille, égayant si l'on veut ce parallélogramme parfait (douze mètres en hauteur, largeur, longueur) percé au rez-de-chaussée et au premier étage de fenêtres hautes et larges pourvues chacune de six grandes vitres, bordées de volets beiges dont la peinture par endroit s'écaille ou plutôt se décolle en couches épaisses et cassantes, laissant apparaître l'ancienne couleur, quelque chose entre le marron et le bordeaux.

On avait pris possession des lieux quelque cinquante ans plus tôt – balayant, dépoussiérant, astiquant, frottant, raclant, décollant, arrachant toute trace de vie antérieure qui pût étouffer, gommer la nôtre, puis recouvrant de papiers peints, de toiles, de carrelages, de peintures, de

vernis, clouant, fixant, perçant, disposant pour
finir meubles, tapis, rideaux, lampes et autres
bibelots qui se répandaient, envahissaient chaque pièce comme un raz-de-marée, tardaient à
se voir attribuer une place définitive. On avait
trouvé dans l'une des pièces sur l'étagère d'un
placard parmi d'autres objets anodins qui nous
signifiaient qu'on n'était pas encore tout à fait
chez nous (forme d'insultes : ramasser ce que
d'autres avaient laissé derrière eux en partant,
leurs détritus, leurs ordures : papiers punaisés
sur un mur, vieux journaux, produits ménagers,
couverts dépareillés, bibelots oubliés ou aban-
donnés à dessein, torchons et chiffons sales,
miroir ébréché au-dessus d'un lavabo, abat-jour
couvert de poussière et de crottes de mouche,
piles de draps rugueux et jaunis) une vieille coupure de journal sur laquelle on avait reconnu
dans un médaillon l'ancien propriétaire, jeune
alors, qui se tenait avec fierté devant la façade
de sa maison neuve, de trois-quarts, vêtu d'un
costume trois-pièces sombre dont le gilet semblait brodé, les bras croisés à hauteur du buste,
un pied posé sur la première marche de l'escalier. Il possédait dans la région plusieurs entre-
prises dont une tuilerie, vaste bâtiment longitu-
dinal de tôles et de briques construit en bordure

21

du village, qui employait une trentaine d'ouvriers. Il comptait parmi les notables locaux qu'on citait lors des assemblées et discours officiels : on louait sa réussite, son dévouement et sa fidélité à la commune, à laquelle il avait fait don d'une partie de sa fortune pour rénover l'église, aménager un jardin public, construire une école et une salle des fêtes dont la toiture de tuiles orangées sortait de son usine.

Puis il avait fait faillite. On avait entendu ensuite des dizaines de fois, dans les murs mêmes où il avait vécu, lors de réunions de famille que rythmait le calendrier – elles avaient toujours lieu en novembre –, l'histoire de sa déchéance : la ruine, le scandale étalé pendant plusieurs semaines à la une du journal local, les ouvriers licenciés, les manifestations et les banderoles d'insultes, les visites répétées des huissiers, des créanciers, son retrait de la vie publique, sa maladie, la liquidation de tous ses biens, l'annonce parue dans le journal, c'est alors qu'on était entré en scène, les économies raflées sur le compte en banque des parents, l'entrevue avec le notaire, la visite puis l'achat de la maison, des dépendances (la maison du jardinier, la volière, les cabanes à lapins, à cochons, à deux cents mètres la ferme aux granges et aux bergeries immenses, des dizaines d'hectares de terre ocre), l'emménagement enfin quelques semaines plus tard. La vente de ses biens terminée – à l'exception de l'usine dont personne n'avait voulu et qui avait dépéri en bordure du village –, il était parti avec ses deux fils. On n'avait plus jamais entendu parler d'eux.

Le malheur des uns fait le bonheur des autres, avait-on pris l'habitude de dire tandis que les plats circulaient de main en main au-dessus des assiettes sales. On avait souri, cette banalité cynique ne nous affectait pas et témoignait d'un sens des réalités qu'il fallait louer sans réserve, puis on avait parcouru du regard la salle à manger dans laquelle, là comme ailleurs, notre courte histoire avait fini par s'imposer : photographies accrochées au mur ou posées sur les meubles au milieu de napperons de dentelle, armoires, tables, buffets, commodes, vaisseliers, coffres, chaises, fauteuils, tapis neufs et de mauvais goût, rideaux bon marché, jusqu'à cette odeur tenace de tabac froid, d'antimite et de médicaments qu'on avait apportée avec le reste. Les convives avaient approuvé d'un léger signe de tête, pensant les affaires sont les affaires, il faut garder la tête froide.

On écoutait dans l'ennui cette conversation familière et triste. On s'étonnait de ces déjeuners fades et sans surprise – viandes froides, charcuteries, carafes de vin rouge – auxquels chacun pourtant semblait tenir. On attendait que le repas fût terminé pour quitter la table et aller se promener dans le parc, descendre peut-être jusqu'à la rivière. On se jurait de ne pas devenir comme eux, pensant : de quel âge d'or s'agissait-il pour qu'on ressassât cette histoire, usant des mêmes phrases, des mêmes mots, exactement, année après année – cette façon indécente de décrire l'ultime entrevue chez le notaire, leurs signatures apposées au bas du contrat, la tristesse des fils quittant sans dire un mot son étude sombre et enfumée ? Tant d'ennui.

On se souvenait de son portrait trônant dans l'entrée sur un guéridon en acajou au milieu d'une collection de statuettes africaines au visage grimaçant. Il était assis à son bureau dans un fauteuil Empire, tenait dans la main gauche un stylo-plume, dans l'autre un paquet de feuilles dactylographiées, qu'il annotait. On devinait dans la marge une écriture aux lettres anguleuses et élancées. Une cigarette se consumait dans un cendrier en porcelaine. Derrière lui s'étiraient les rayonnages d'une bibliothèque rangée avec soin : plusieurs séries de livres – des ouvrages littéraires – reliés cuir (*Les Rougon-Macquart* et *La Comédie humaine* sur l'étagère la plus haute, quelques ouvrages de Victor Hugo et d'Alfred de Vigny sur l'étagère inférieure), des encyclopédies, des dictionnaires, des collections spécialisées, juridiques pour la plupart. Notre père, avaient soufflé ses deux fils de la même voix éteinte quand nos regards s'étaient posés sur son portrait, hélas il n'y avait plus rien de commun entre cet homme élégant, soucieux de son image (il n'était pas rare qu'on lui reprochât sa coquetterie, cette façon précieuse qu'il avait de s'habiller : eux-mêmes, avouaient-ils, s'en étaient amusés lorsqu'ils étaient enfants, avaient ri de son affectation et avaient même poussé l'insolence jusqu'à l'imiter, volant ses habits dans l'armoire, chemises, pantalons, gilets, vestes, cravates, chapeaux et casquettes, prenant la pose devant la glace, bombant le torse, défilant dans leur chambre, sur le palier, une cigarette coincée entre leurs lèvres au-dessus desquelles ils avaient dessiné une moustache à la Hercule Poirot, vous connaissez Hercule Poirot naturellement, ah, un vrai bonheur de lecture n'est-ce pas, si fin si vif, descendant l'escalier comme une danseuse de cabaret, veillant à ne pas trébucher sur le pantalon dont le revers grossier se défaisait aux premiers pas, aujourd'hui bien sûr, disaient-ils, nous nous sentons comment dire honteux, mais la jeunesse n'est-ce pas la jeunesse, comment lui reprocher ces plaisanteries), il n'y avait plus rien de commun, donc, entre cet homme-là et le vieillard endormi à l'étage qui ne voulait plus voir personne, ne quittait plus sa chambre depuis de longs mois, lesquels avaient suffi à faire de lui ce personnage squelettique (il refusait la plupart du temps toute nourriture, se contentant d'un peu de potage ou d'un fruit auxquels il touchait à peine) et silencieux, qui se détachait du monde petit à petit. La présence d'autrui l'importunait au point qu'un jour il les avait chassés, tous les deux. Les médecins parlaient de dépression mais ils jugeaient cette explication simpliste : on ne peut changer à ce point, vous comprenez. Quelle que fût la nature exacte de sa maladie, après tout, c'était un grand chagrin pour ceux qui restaient et assistaient impuissants à sa déchéance. On avait dit qu'on comprenait, qu'on était désolé. On avait osé un geste réconfortant – petite tape sur l'épaule, main posée sur l'avant-bras qu'on avait retirée aussitôt, gêné. On avait risqué une anecdote du même genre, puis on s'était tu quelques instants avant de continuer la visite de la maison : on avait vérifié avec attention l'installation électrique, la plomberie, les tapisseries, les sols, on avait cherché à démasquer au plafond, sur les murs, fissures, salpêtre, humidité, toute défaillance qui eût été susceptible de faire baisser le prix de vente de la maison, on avait jugé de l'état de la toiture dont une quantité non négligeable d'ardoises, craquelées et couvertes d'une mousse vert vif, exigeait qu'on la changeât sans tarder, on avait visité avec attention les dépendances et découvert qu'elles avaient été très largement surestimées : on s'était en particulier félicité d'avoir inspecté les granges dont certains murs étaient lézardés. Notre insistance avait ainsi été récompensée de quelques dizaines de milliers de francs : les affaires sont les affaires. On était parti satisfait, abandonnant les deux fils sur les marches d'une poignée de main qu'on avait voulue amicale.

Le baiser des vieillards

Cette nuit je n'ai pas dormi. J'avais mal à la tête et peur de m'endormir comme d'habitude. Mon enfant le sommeil n'apporte que le repos et l'oubli tu sais, dit maman. Je me suis assise près de la fenêtre, la joue appuyée contre la vitre dont la fraîcheur m'a un peu soulagée. Je respirais les parfums d'humus, de pin et d'herbes sèches qui entraient par vagues dans la chambre. Le vent soulevait et rabattait sur ma peau le tissu transparent de ma chemise de nuit. Je devinais sous le tissu la pointe rose de mes seins, le triangle noir du pubis d'où partait la ligne brune des cuisses, l'articulation des genoux : la rotule, l'extrémité du fémur. La lune était ronde et blanche. L'ombre des arbres s'étalait sur la pelouse, y creusait de larges plaies noires que traversaient les lapins, les rats, les mulots, les fouines, les souris, les musaraignes, dont les déplacements saccadés faisaient crépiter l'herbe rase et dure de la pelouse. Les massifs de fleurs ressemblaient à de gros animaux assoupis, recroquevillés pour se protéger de la nuit et de ses fantômes. La lune enveloppait la terre d'une lumière douce et bleue, la lumière des rêves dans lesquels on attend mi-rassuré mi-inquiet une révélation, un dénouement, mais jamais rien n'arrive et on continue à attendre.

Il y avait de la lumière dans la chambre de maman. De sa chambre des petits carrés de lumière jaunes se projetaient sur le feuillage touffu du vieux chêne. Quand le vent soufflait plus fort les feuilles se mettaient à siffler, des milliers de sifflements qui emplissaient la nuit par vague, s'apaisaient, sifflaient à nouveau, se taisaient. On entendait le vent se promener sur les feuilles, se déplacer d'arbre en arbre comme une caresse immense, sculptant les feuillages semblables au sable fin qui borde la rivière et oublie aussitôt l'empreinte des pas. Je voyais la silhouette maigre de maman balayer le feuillage comme un métronome, s'arrêter dans le rectangle jaune dessiné par l'embrasure de la fenêtre, agiter les bras, secouer la tête, se calmer quelques instants (à quoi pensait-elle alors ?) puis reprendre ses allées et venues d'automate, s'arrêter à nouveau devant la fenêtre (voyait-elle dans la vitre les rides de son visage, les cernes bleus sous ses yeux, la pâleur de ses lèvres trop minces, ses cheveux blancs et hirsutes, la chair molle de son cou ?), gesticuler encore (à qui parlait-elle ?), vieille poupée mécanique rado-teuse bavardant avec ses fantômes.

Je ne sais pas combien de temps je suis restée là, somnolant contre la fenêtre. Plus tard je suis descendue à la cuisine. J'avais soif. Le parquet grinçait. Je sentais sous mes pieds nus les rai-nures des lames de chêne, les petites bosses dures et lisses, pointues, des nœuds dans le bois. Dans la cuisine le carrelage était humide et froid. Les dalles étaient recouvertes d'un voile de buée qui s'effaçait sous les pas puis se recom-posait en quelques secondes de l'extérieur vers le centre. Le plafonnier fonctionnait mal et vomissait sa lumière d'acier avant de s'éteindre sans bruit. Petit à petit des volumes se dessi-naient imprécis, qu'on identifiait pourtant sans hésitation car ici rien ne change jamais de place, car ici rien n'a jamais changé de place depuis des années c'est-à-dire depuis le départ de la cuisinière, les chaises, la table, la pendule, le vaisselier, le réfrigérateur sur lequel tremblotent un trousseau de clés et un vieux vase en porcelaine blanche ébréché, les casseroles cabossées accrochées au mur par taille tout comme les poêles et les passoires (les casseroles en bas, les poêles au milieu, les passoires en haut, suspendues à de vieux clous recourbés et branlants), l'étagère où s'entassent les épices, les branches de thym et de laurier, le calendrier avec sa photo d'épagneul triste (l'année dernière on a eu droit à une portée de six chats siamois dormant dans une corbeille en osier bordée d'un ruban de satin rouge), la vieille timbale en argent cabossée dans laquelle maman jette les pièces de cinq, dix et vingt centimes. J'étais appuyée sur le rebord de l'évier en inox dont l'arête me faisait mal. Je fermais les yeux sous le plafonnier qui s'était mis à hoqueter et buvais à petites gorgées un verre d'eau chlorée. Mes pieds glissaient sur les dalles humides et froides. À travers le feuillage du chèvrefeuille je voyais l'aube se lever. J'ai entendu maman tirer les volets de sa chambre, fermer sa fenêtre. Je suis remontée dans ma chambre et je me suis reposée.

Ce sont nos pensées qui refusent de nous laisser en paix. Ce sont elles qui provoquent ces

douleurs si aiguës derrière les tempes, ces brû-
lures.

Il fait froid. Le jour se lève. Mon père et moi
partons en promenade. Il me devance de quelques mètres. Il marche vite, d'un pas lourd et
puissant. Les contours de sa silhouette se perdent dans le brouillard. Je le laisse disparaître,
puis j'attends, debout au milieu du chemin, qu'il
revienne vers moi et me prenne dans ses bras.
Il était déjà gros. Je me souviens de son ventre
gonflé rebondissant sur son pantalon, de ses vestes qui ne fermaient plus, de ses gilets dont les
boutonnières s'étiraient, dont les mailles se
détendaient, formant à l'emplacement de l'estomac lorsqu'il les enlevait et les suspendait au
portemanteau de l'entrée une poche informe et
molle, je me souviens de grand-mère reculant
l'emplacement des boutons avant de lui acheter
d'autres vestes, d'autres gilets, de ma tête qui
ne lui arrivait même pas à mi-cuisse quand je
me tenais tout contre lui et me dressais sur la
pointe des pieds, de mes mains qui se perdaient
et se promenaient sur la sphère volumineuse et
rassurante de son ventre, deux petits taches
blanches tendues vers son visage que je ne pouvais pas voir, papa me demandant alors Edith

allons-nous trouver aujourd'hui de nouveaux trésors ? Sa voix grave et douce m'enveloppait comme le brouillard du matin. Je le laissais s'éloigner à nouveau, guidée par le seul bruit de ses pas lourds et puissants sur le chemin qui nous conduisait vers le bois.

Je trouve que depuis quelque temps ma chambre sent mauvais. Au début j'ai pensé que c'était mon lit qui sentait mauvais et qu'il fallait changer les draps, les couvertures. Il est vrai que je ne l'ai pas fait depuis longtemps. Maman trouve que c'est répugnant. Elle dit que ce n'est pas bien de vivre dans la crasse et le désordre. Elle dit que c'est anormal et qu'elle en a assez. Elle dit que je suis répugnante et qu'avec moi tout est toujours pareil : le désordre et la paresse, depuis des années, et moi qui ne l'écoute pas, qui ne l'ai jamais écoutée. À force naturellement les draps deviennent poisseux. Ils finissent par sentir fort – la sueur qui imprègne le tissu, les petites particules de peau morte invisibles sur les draps clairs, l'odeur du cuir chevelu sur l'oreiller, une odeur presque sucrée. Mais ce n'est pas ça qui sent mauvais ici et d'ailleurs cette odeur-là ne me dérange pas. On dirait plutôt que la puanteur émane de la maison elle-même, des murs, du plancher, une odeur de pourriture ou quelque chose de ce genre. C'est bizarre, tout de même.

Le jour venu je veux que mes cendres s'éparpillent sur l'eau des rivières, sur la mousse humide des sous-bois, sur les pétales des marguerites et des boutons d'or. Je ne veux pas qu'on m'enterre ni finir au fond d'une urne en terre cuite dans un alignement de niches minuscules. Je ne veux pas finir entre quatre planches au fond d'un trou, une à une des pelletées de terre sableuse venant s'écraser contre mon cercueil, floc, floc, merci bien, et les autres jetant d'en haut une fleur, une poignée de terre, un objet auquel ils étaient attachés, une bague, un collier, des lettres peut-être, ou respectant la volonté du défunt qui leur avait demandé de jeter ceci ou cela dans la tombe, quelle idée, se penchant au-dessus du trou un peu moins vide maintenant et ouvrant de grands yeux pour voir à quoi ressemblera leur dernière demeure c'est-à-dire à rien. On raconte que parfois les morts se réveillent et griffent le revêtement de velours ou de satin qui recouvre les parois de leur cercueil. On ne les entend pas crier bien sûr à cause des mètres et des mètres cubes de terre qui les recouvrent. Combien de temps survivent-ils à

34

cette seconde agonie ? Je me demande pourquoi on a ouvert ces cercueils.

S'ils croient que je n'ai pas compris ce qu'ils racontaient tous les quatre, que je ne les entendais pas quand ils s'agglutinaient tout contre ma porte après la visite du médecin qui leur faisait là le compte rendu de notre entretien, papa, maman et grand-mère parlant avec lui de mon comportement inquiétant. Messes basses, pas feutrés dans le couloir, conciliabules derrière ma porte. Grand-mère disant à maman d'un ton de reproche voilà ce qui arrive avec les filles, les garçons tout de même c'est plus sûr, quel malheur mais quel malheur que cette petite, qu'allons-nous en faire, le médecin disant il faudrait l'emmener voir un spécialiste, vous comprenez, ces choses-là ne sont plus de mon ressort, et même un spécialiste je doute qu'il puisse enfin vous verrez bien.

Il y a des souris dans le grenier. Je les ai entendues la nuit dernière s'agiter et trotter au-dessus de ma tête, caracoler dans la poussière, les papiers déchiquetés, les vieilles toiles d'araignée tombées du plafond, petits paquets grisâtres moelleux comme du coton contenant encore le cadavre d'une mouche, d'un moustique, d'une abeille ou d'une guêpe. Dans cette partie du grenier il y a plein de cartons remplis de vêtements et de chaussures démodés, de livres d'enfants, les miens, ceux de mon père. On y trouve aussi des carnets de notes et des livres d'école aux pages jaunies, des vieux journaux. Je crois qu'il n'y a rien là-haut qui ait appartenu à ma mère. Pas de vêtements, pas de photographies, de livres ni d'objets particuliers qui puissent témoigner de son existence ici. Quand elle mourra on ne saura pas qu'elle a habité ici.

Il y a longtemps que je ne pense plus à mes dérèglements d'autrefois et je peux dire que maintenant je vais mieux, beaucoup mieux. C'est une drôle d'expression que celle-ci : aller mieux. Aller son chemin, aller par monts et par vaux, aller d'un point à un autre, aller de travers, aller de mal en pis, ne pas y aller de main morte. Aller mieux. On se promène. On déambule notre vie durant et puis un jour c'est fini coupé net au revoir.

Je me souviens de tous ces vieux défilant souriants devant moi pour la Toussaint, me tripotant les joues, les cheveux, prenant mes mains dans les leurs, ridées et tremblotantes, on aurait dit une peau de serpent, disant mais comme elle est mignonne, s'émerveillant de quoi, je ne sais pas, les enfants ne sont pas merveilleux, laissant sur ma joue la salive de leurs baisers, des baisers qui n'en finissaient pas, ces vieux tout décatis s'agrippant à moi, me retenant et moi qui voulais partir, me débarrasser d'eux. Je trouvais que leurs baisers sentaient mauvais, une odeur de maladie, de mauvaise digestion qui remontait et se déposait sur ma joue. Je ne les aimais pas moi tous ces vieux, avec leurs sourires édentés, leurs yeux jaunes, leurs paupières fripées, rapetissées, leurs gestes maladroits, leurs voix chevrotantes. Parfois on avait l'impression que les mots se bousculaient à l'intérieur, qu'ils se marchaient les uns sur les autres, des mots mouillés, la langue se décollant du palais comme une éponge, qu'ils avaient du mal à prononcer à cause de leurs dentiers aux dents trop blanches, et pour finir ce qu'ils disaient sans intérêt : que c'est mignon tout plein ça fera bien un sourire allez sois une bonne petite fille. Maintenant ils sont tous morts ces vieux barbus et c'est tant mieux.

Pour finir tout est calme. Nos chairs immobiles sont étendues sous les draps, notre souffle reflue à l'intérieur petit à petit contenu maintenant sous quelques mètres carrés de peau, quelques kilogrammes d'os, de cartilages, comme si la mer n'en finissait pas de se retirer, abandonnant la surface du monde, rassemblant ses dernières forces puis disparaissant à l'horizon, laissant sous la paume des survivants un tissu froid et fripé. Il faut placer sa main tout près des visages pour sentir qu'un peu d'air sort encore des corps fatigués. Après les premières grimaces de terreur (on se réveille en pleine nuit, on s'assied sur le rebord du lit, en sueur, les yeux exorbités, le cœur battant, nos pieds nus pendent dans le vide, des gouttes de sueur roulent sur nos tempes, notre front, nos joues, dans notre dos) nos visages se sont apaisés. Enfin tout ça ce sont des idées que j'ai, des rêves que je fais souvent. Je ne sais pas si c'est vrai. Je veux dire que je ne sais pas si ces choses-là sont possibles car dans ma vie je n'ai vu mourir qu'une personne et ce n'était pas du tout pareil. Parfois je dis un peu tout ce qui me passe par la tête. Ce sont mes idées folles, comme dit maman, qui n'arrêtent pas de tourner, tourner encore. Quant à grand-père il était refroidi depuis plusieurs heures le jour où ils l'ont ramené à la maison dans la fourgonnette de la poste, ses jambes dépassant à l'arrière parce qu'ils n'avaient pas pu fermer la portière.

Journal d'Edith.

Grande ouverte encore sur le lit dont elle a tiré avec soin les draps, les couvertures, sa valise est prête, les sangles solidement attachées sur deux piles de vêtements et d'objets divers : photographies, dessins d'enfants, lettres, quelques livres. Elle n'a cessé dans l'excitation du départ d'en modifier le contenu, versant d'un geste fébrile sur son lit ce qu'elle avait empilé quelques instants plus tôt, enlevant ce qu'elle jugeait inutile, le rangeant dans l'armoire pour le ressortir aussitôt. Elle ne reviendra plus : il faut donc penser à tout, ne rien oublier qu'elle puisse regretter plus tard.

Elle roule en boule sa chemise de nuit, la glisse sous l'oreiller dont elle lisse la taie du plat de la main, s'amuse de ce geste inutile maintenant puisqu'elle ne dormira pas là ce soir, ni demain ni aucun autre jour. Elle se demande ce que fera sa mère ensuite : recouvrir les meubles de draps blancs, laisser la poussière accomplir son patient travail d'ensevelissement, fermer sa chambre à clef. Il est possible aussi qu'elle ne fasse rien, ne touche à rien, qu'elle attende son retour, pensant tout de même ces choses-là ne se font pas, enfoncée dans le canapé du salon, ses mains noueuses croisées sur ses genoux. Mais elle ne sait pas ce qu'elle fera et elle s'en moque. Il n'est plus temps de penser à cela.

Elle se souvient du jour où elle avait surpris ses camarades de classe se moquant d'elle : ils grimaçaient, se tordaient dans son dos, imitaient la désignant du doigt la démarche maladroite d'un singe, d'un simple d'esprit. Elle fixait sans bouger la vitre sur laquelle gesticulaient leurs silhouettes simiesques. Puis ils avaient quitté le hall dans un éclat de rire, leurs cartables sursautant sur leurs épaules maigres, et s'étaient engouffrés dans le car rouge et blanc qui les attendait devant la grille. Elle était restée seule avec l'institutrice, la joue collée contre la vitre glacée du hall. Debout au pied de l'escalier qui conduisait aux salles de classe du premier étage, l'institutrice attendait les mains croisées sur la poitrine qu'on vînt chercher l'enfant pour regagner sa maison de pierres blanches, de l'autre côté de la rue, juste en face de l'école.

Elle referme sa valise, enfile son manteau, jette un dernier coup d'œil à sa chambre, éteint la lumière de sa lampe de chevet et sort sur la pointe des pieds. Il est deux heures. Elle longe sans bruit le couloir, courbée sous le poids de sa valise, tendant devant elle sa main pour ne pas se cogner contre les murs. Plongé dans l'obscurité, le couloir lui semble plus long et plus étroit que d'habitude. Elle passe devant la chambre de sa mère, qui ne dort pas. Un filet de lumière filtre sous sa porte. Elle l'entend aller et venir d'un bout à l'autre de sa chambre, traînant des pieds sur le parquet, marmonnant Dieu sait quoi.

Rêves à l'église

Il faisait un froid de canard dans l'église, je frissonnais, je sentais l'air glacé m'envelopper et je pensais qu'on en finisse, il y avait une odeur de feuilles mortes et de mousse dans cette église, j'ai oublié à quelle heure la cérémonie a commencé exactement, nous étions en retard je crois, il y avait là une quarantaine de personnes, je ne les connaissais pas à l'exception des rares habitants du village qui avaient été invités, les autres je les ai revus plus tard, enfin certains d'entre eux, je n'ai jamais su qui ils étaient, amis, parents, ils venaient chaque année à l'automne, pour la Toussaint, et puis on n'entendait plus parler d'eux jusqu'à l'année suivante, moi de toute façon je ne faisais que les voir passer, un vrai défilé, raides comme des piquets dans leurs vêtements sombres ils traversaient l'entrée puis la cuisine, se dirigeaient vers le salon où les attendaient tes grands-parents assis sur le canapé les mains croisées sur les genoux, trônant au milieu de pots de chrysanthèmes qu'ils emporteraient un peu plus tard, il y en avait partout et de plus en plus chaque année, des chrysanthèmes, dans des petits pots, des grands pots, je me demandais à combien de pots avait droit un mort, si la grosseur du pot était fonction de son âge ou de son degré de parenté avec les uns et les autres, un gros pot pour les parents, un moyen pour les grands-parents, un petit pour les cousins germains, leur odeur envahissait la maison, une odeur de terre mouillée qui donnait pendant quelques heures l'impression d'habiter au beau milieu d'une prairie, d'une année à l'autre ils achetaient la même variété de chrysanthèmes, des violets et des blancs à tête plate, on aurait dit des marguerites, les pétales avaient la même forme que ceux des marguerites, leurs chaussures claquaient sur le carrelage, puis ils prenaient place autour de la table de la salle à manger, je n'avais pas le droit de me joindre à eux parce que je n'appartenais pas à la famille, ils refermaient sur eux la porte et restaient là une partie de la matinée, mangeant de la charcuterie, des salades et des morceaux de viande froide que ta grand-mère préparait la veille avec la cuisinière, cernés par les photos de famille jaunies qui trônaient sur les meubles, sur les murs, mariage, baptême, communion, service militaire, des photos en noir et blanc protégées par des petits cadres que ta grand-mère astiquait tous les jours comme des reliques, la larme à l'œil, je l'entendais parler toute seule ou plutôt à ceux d'entre eux qui avaient déjà passé l'arme à gauche, sanglotant, gémissant, embrassant le visage de ses morts, serrant ses fantômes contre sa poitrine, mes morts, disait-elle, mes chers morts, c'est bien la seule chose qui pouvait l'émouvoir, cette vieille toupie, ses parents ont fini par avoir l'honneur de ses jérémiades, installés au-dessus du buffet de la salle à manger dans deux petits cadres dorés, en voilà pour qui l'affaire a été vite expédiée, lui d'abord, elle ensuite, en tout il ne leur a pas fallu trois jours, je me demandais si elle aurait le temps de pleurnicher sur toutes ses photos ou si elle claquerait avant d'en avoir terminé, je me souviens que le coffre de leurs voitures était déjà rempli de chrysanthèmes violets et blancs quand ils arrivaient, les mêmes que ceux de tes grands-parents, des petites fleurs violettes et blanches qui s'écrasaient contre la vitre arrière et la couvraient d'un voile de buée sur lequel roulaient des gouttelettes d'eau, d'année en année je les voyais vieillir, se rider, rapetisser, sortir de leur voiture avec de plus en plus de difficulté, soupirer dans leurs habits noirs tandis qu'ils s'accrochaient à la poignée pour s'extraire de leur siège, les gestes maladroits et lents, leurs pieds hésitant à se poser sur le sol, puis l'un d'entre eux venait à manquer, mort, malade, impotent, c'était peut-être pour lui qu'on avait apporté ces autres chrysanthèmes, je n'étais au courant de rien, ils descendaient de leur voiture puis s'engouffraient dans la maison sans me dire bonjour, ils avaient pour moi moins d'égards que pour la cuisinière et la bonne qu'ils gratifiaient de temps en temps d'une poignée de main et d'une tape sur l'épaule, ta grand-mère déclarant juste avant leur arrivée de son habituel ton mielleux que je pouvais maintenant disposer de ma journée, du balai, ton père la laissait faire et ne levait pas le petit doigt pour lui signifier qu'elle exagérait et qu'il fallait arrêter, ils ressortaient vers midi, les plus vaillants d'entre eux tenant dans leurs bras les chrysanthèmes qu'ils rangeaient avec les autres dans le coffre, semant des feuilles et des pétales sur leur passage, des petites flaques d'eau s'étaient formées sous les pots de chrysanthème et auréolaient le parquet, ils montaient dans leurs voitures dont les portières claquaient à tour de rôle, faisaient demi-tour et disparaissaient bientôt derrière les arbres, je restais seule avec la cuisinière qui ce jour-là condescendait à m'adresser la parole, sans doute n'était-elle pas jalouse de moi comme les autres mais elle redoutait ton grand-père, disant un jour il faudra bien qu'il paye pour ce qu'il a fait, je savais que le lendemain tout serait oublié et que devant les autres elle se tairait en m'apercevant dans l'embrasure de la porte, ils iraient jusqu'au cimetière, sortiraient les chrysanthèmes du coffre de leurs voitures, pousseraient la grille rouillée du cimetière, tenant à nouveau dans leurs bras les chrysanthèmes qu'ils déposeraient sur les tombes, ils revenaient en fin d'après-midi, saluaient tes grands-parents d'une accolade solennelle sur le perron puis s'en allaient, j'entendais leur respiration dans mon dos, j'avais de plus en plus froid, parfois une chaise grinçait sur le sol cimenté de l'église, il me semblait entendre de temps en temps des rires étouffés, des gloussements qui partaient des premières travées et se propageaient vers le fond, les rangées étaient clairsemées, pas plus de cinq ou six personnes par rangée, les hommes étaient en costume trois-pièces, les femmes en robe longue, il m'avait semblé qu'ils me dévisageaient d'une drôle de façon tandis que je m'avançais vers le chœur, j'attendais la fin de la cérémonie, ils avaient tous les mains nouées sur le ventre ou plutôt sur le bas-ventre, ils tournaient la tête dans notre direction tandis que nous remontions l'allée centrale, ton père et moi, je les imaginais soudain nus dans cette église, j'imaginais leurs mains recouvrant leur sexe, je pensais à leur peau nue frissonnant sous les regards, chacun bientôt ne se soucierait plus que de lui, les mains dissimulant à peine les poils pubiens, les chairs exposées, blanches ou brunes, jeunes ou vieilles, les cicatrices, l'absence de vêtements leur enlevant toute audace, ils auraient arrêté de me regarder, chacun éprouvant maintenant le poids de sa propre chair, chacun ne pensant plus qu'à soustraire sa propre chair aux regards, mais ils n'auraient peut-être rien fait, je veux dire qu'ils auraient peut-être continué à me regarder comme si de rien n'était, leurs mains toujours nouées sur leur bas-ventre et leurs visages tournés vers nous ou plutôt vers moi puisqu'ils ne regardaient que moi, j'avais les larmes aux yeux, je me retenais pour ne pas éclater en sanglots, je m'accrochais au bras de ton père qui a jeté vers moi un regard affectueux, je pleurais maintenant sous mon voile, le temps s'écoulait avec une pesanteur de plomb, qu'on en finisse, je pensais qu'ils savaient tous, il me semblait qu'une rumeur circulait dans chaque rangée depuis que nous étions entrés dans l'église, un grondement sourd qui se rapprochait, qui s'amplifiait de minute en minute, quelques mots chuchotés, murmurés au creux de l'oreille comme l'avait fait ta grand-mère quelques instants plus tôt sur le perron, sa main posée sur mon épaule, il me semblait entendre encore ce qu'elle m'avait dit et sentir sur ma tempe le souffle tiède de sa respiration, une petite pute et le reste, prononcés à voix basse puis de plus en plus fort, une rumeur qui emplissait bientôt l'église tout entière, ton grand-père me disant dans le salon quant à vous ma belle dites-vous qu'on ne vous demandera pas votre avis contentez-vous de faire ce qu'on attend de vous, quelle chaleur étouffante il faisait ce jour-là, le prêtre pendant ce temps poursuivait sa lecture d'une voix monocorde, il lisait un extrait des Épîtres de Paul, car nul n'a jamais haï sa propre chair, on la nourrit au contraire et on en prend soin, bientôt on ne l'entendrait plus, leurs voix se mêleraient à la sienne puis l'étoufferaient, elle finirait par se joindre à la leur, il devait savoir lui aussi, ma mère s'était installée à gauche, derrière eux, je priais pour qu'elle ne sache jamais rien de ce que j'avais entendu ce matin-là avant de partir, mais peut-être avait-elle déjà compris ce que tous murmuraient dans l'église depuis que nous étions entrés, peut-être même ta grand-mère lui avait-elle dit, la prenant à part juste avant d'entrer dans l'église, sur les marches, posant sa main sur son épaule et lui parlant tout bas à l'oreille, murmurant votre fille vous savez je ne pense pas qu'elle soit comment dire vraiment à la hauteur et puis quelle fortune avez-vous, pas du tout ce qu'il faut pour mon fils, vous comprenez, la cérémonie pourtant continuait, personne ne s'était levé pour interrompre le prêtre et arrêter cette mascarade, vous ne me volerez pas mon fils c'est ce que vous cherchez comme tout le monde mais vous ne l'aurez pas, je savais qu'elle nous observait, cette vieille pie, elle était assise juste derrière nous au bord de l'allée centrale, à côté de ton grand-père que la cérémonie n'avait pas empêché de fumer, je l'entendais de temps en temps se racler la gorge et craquer une allumette, je sentais l'odeur infecte de sa cigarette, j'imagine qu'il devait s'ennuyer ferme en

49

écoutant le prêtre lire son Épître, c'est ta grand-
mère bien sûr qui l'avait choisie, je ne parvenais
pas à fixer mon attention, de temps en temps la
voix nasillarde du prêtre me parvenait, glorifiez
donc Dieu dans votre corps, c'était un petit
homme nerveux et gros dont le visage couperosé
était agité de tics, ses ongles étaient sales et mal
coupés, il bégayait, butait sur certains mots et
ne cessait ensuite de s'excuser, pardon pardon,
pardon, répétait-il sans arrêt, et puis il adressait
à tes grands-parents un regard désolé, j'avais de
plus en plus froid, je sentais des courants d'air
glacés se glisser sous ma robe, remonter le long
de mes bas, je me souviens qu'en venant
jusqu'ici on voyait sur la route des nappes de
brouillard s'étirer au-dessus de la rivière, des
nappes de brouillard très fines qui enveloppaient le corps noueux des arbres sur lesquels
étaient restées accrochées quelques feuilles couvertes de givre, tremblant dans le vent, les
champs aussi étaient couverts de gelée blanche,
la voiture roulait au pas pour que les décorations, les fleurs en papier crépon et les rubans
de tulle, ne s'envolent pas, les rubans s'agitaient
doucement sur le capot de la voiture, ton père
et moi étions installés à l'arrière, ma robe prenait
beaucoup de place, ainsi que le voile dont une

partie recouvrait les jambes de ton père, personne ne parlait, un nuage de fumée bleue s'élevait du siège avant, j'étais assise derrière ta grand-mère qui regardait droit devant elle, je remarquais qu'elle avait un cou très fin, que j'aurais pu tenir entre mes mains et serrer jusqu'à ce qu'elle s'étouffe, ça ne me déplaisait pas de l'imaginer se tordre sur le siège avant, les yeux exorbités et la peau violacée, ses mains essayant de me faire lâcher prise puis se détendant, elle avait relevé ses cheveux en chignon, les cheveux blancs trop courts pour être attachés recouvraient sa nuque ridée, dont la peau flasque était piquée par endroits de taches brunes, elle avait un grain de beauté juste au-dessous de l'oreille droite, un grain de beauté aux bords irréguliers d'où sortait un long poil brun, sur le visage aussi elle avait des grains de beauté, tous assez gros et hérissés d'un ou deux poils, qui devenaient de plus en plus épais et longs à mesure qu'elle vieillissait, elle avait posé sur le tableau de bord une paire de gants blancs et une montre-bracelet, le prêtre maintenant s'adressait à nous, il prononçait nos prénoms et nous regardait à tour de rôle, bégayant et s'excusant à nouveau, puis disant presque d'un souffle comme pour éviter de buter encore sur un mot la femme ne dispose pas de son corps, mais le mari, pareillement le mari ne dispose pas de son corps, mais la femme, cette cérémonie n'en finissait pas, l'église était sinistre, les vitraux avaient été remplacés par du verre blanc, certaines ouvertures avaient été bouchées avec des planches, les murs étaient recouverts d'un crépi blanchâtre qui se détachait par plaques et laissait une poudre humide sur les bancs, le prêtre attendait que je lui réponde, j'ai dit oui, il y avait des fleurs devant nous, des fleurs blanches, je crois.

Photographies

C'était une photographie de mariage aux bords dentelés dont les coins s'enfonçaient de quelques millimètres dans un carton blanc gaufré qui se rabattait sur la photographie protégée par une feuille de papier cristal. Un liseré argenté orné de feuilles et de fleurs aux teintes pastel ourlait le carton et se terminait sur la partie inférieure en bouquet multicolore d'où émergeaient des rubans frisottés. Voilées par la feuille de papier cristal ou plutôt enveloppées de façon à être préservées du regard inquisiteur qui chercherait bientôt à les détailler sans retenue, balayant la photographie puis se fixant sur un visage, s'y attardant (le regard jouissant de son objet dont il n'a pas à redouter la remarque ou le geste offusqué qui surgirait s'il s'agissait d'un authentique face-à-face, la victime, avertie cette fois, jugeant inconvenante une telle insis-

tance, le regard ne pouvant s'attarder trop longtemps sur elle sans l'offenser, à moins que
celle-ci ne consente à s'offrir aux indiscrétions
du regard qui la provoquait quelques instants
plus tôt), les silhouettes restaient anonymes et
formaient un ensemble confus, les jeunes ne se
distinguant pas des vieux, les grands des petits,
les gros des maigres. On aurait dit des petits
personnages sortis d'un ancien album à colorier,
fragiles figurines dessinées au fusain dont le
charbon aurait été étalé, écrasé du bout des
doigts sur le papier jusqu'à ce que le noir et le
blanc se confondissent presque, poupées hautes
d'à peine quatre centimètres se mêlant les unes
aux autres dans un décor de carton-pâte qui
ajoutait encore au caractère irréaliste de cette
scène lointaine : mariage.

On avait trouvé cette photographie dans une
armoire, au premier étage, dans un fouillis de
papiers rangés là des années auparavant (des
plans du cadastre à l'encre si pâle que certains
tracés étaient devenus illisibles – on avait tout
de même repéré sous la forme de carrés ou de
rectangles grisâtres la maison et ses dépendances, ainsi que le parc dont les allées serpentaient
sur la feuille duveteuse, bordées de zones poin-

tillées représentant bois et bosquets –, un cahier d'écolier aux coins cornés dans les pages duquel on avait glissé des dessins d'enfant, une dizaine de lettres à l'écriture scolaire, des factures anciennes, un lot d'assignats, des pochettes de 78-tours vides en couverture desquelles s'étalaient les sourires éclatants de Luis Mariano et de Tino Rossi) entre deux piles de ce linge glacé qui emplissait maintenant la plupart des armoires de la maison dont l'odeur vous prenait à la gorge à peine avait-on ouvert les portes, une odeur aigre-douce qui piquait les narines comme parfois le salpêtre ou le vinaigre de cidre, mélange d'humidité, d'ancienne lessive, d'antimite : couvertures de laine, dessus-de-lit en cretonne, en velours, matelassés, crochetés en laine ou en coton, draps, enveloppes d'édredons, mouchoirs de toutes tailles au tissage grossier ou de fine dentelle, imprimés, brodés, unis, nappes et serviettes, taies d'oreillers, torchons, traversins, serviettes de toilette, vêtements que personne ne mettait plus depuis longtemps parmi lesquels on avait trouvé un assortiment pour nourrisson, barboteuses, bavoirs, bonnets à pompon, brassières, chaussettes, chaussons, écharpes, gilets, langes en coton doublés d'éponge, manteaux à capuche, pantalons à bretelles, pulls, tissus de toutes sortes, toiles, voilages qui n'avaient pas été utilisés et s'étaient entassés là avec le reste.

Nos photographies inaugurent une mythologie miniature, une vie en miettes couchée sur quelques centimètres carrés de papier, en couleur ou en noir et blanc, photographies récentes, anciennes, désuètes, jaunies, dentelées, rectangulaires, carrées, ovales, dans lesquelles figure presque toujours un lot de photographies solennelles aux poses convenues, empruntées, dictées par le photographe convoqué pour l'occasion :

– mariage : les mariés prenant seuls la pose sous le porche de l'église, devant la mairie, souriant empotés dans leurs habits éphémères (la mariée tenant un bouquet de fleurs dans les mains) ou entourés de leur famille, de leurs amis, dont ils se détachent un peu, un mètre à peine.

– baptême : un nouveau-né joufflu en habits bouffants qui se désintéresse de l'objectif, dont un bonnet bordé de dentelle blanche mange le visage. Hors cadre, tendus vers lui sur les conseils du photographe, les bras de sa mère, qui l'empêchent de trop tourner la tête ou de tomber de la chaise haute sur laquelle on l'a installé le temps de la prise. Il arrive aussi que l'enfant soit nu, étendu sur un coussin ventru. Il prend appui sur ses bras potelés, lève avec difficulté sa tête trop lourde.

– communion : de face, une main posée sur un prie-Dieu, le reste du corps disparaissant sous la robe de couleur claire, grise, blanche. Les yeux fixent l'objectif. Le visage est vide de toute expression. Les traits se sont alourdis, quittant l'enfance.

– service militaire : un jeune homme à la fine moustache et au torse bombé engoncé dans un uniforme parfaitement ajusté, boutons astiqués, casquette ou calot posé bien à plat sur la tête. Le bras gauche tombe le long du corps, la paume de la main collée contre la cuisse, tandis que le bras droit est replié sur l'estomac, doigts tendus.

La feuille de papier cristal soulevée, les figurines sortent de l'indécision : une quarantaine de personnes en robes longues ou costumes trois-pièces réparties sur les cinq ou six marches que compte l'église dont la façade se dresse à l'arrière-plan, tronquée à mi-hauteur par le photographe au-dessus d'une frise horizontale aux motifs indiscernables, corps d'hommes ou d'animaux se mêlant sans logique apparente. Les mariés se tiennent au premier plan, détachés du groupe d'environ un mètre, la tête de la mariée reposant voilée sur l'épaule de son époux. On a installé à leurs pieds plusieurs bouquets de fleurs, des fleurs blanches, si l'on en juge par la tache lumineuse qui se répand comme une flaque d'eau sur la partie inférieure de la photographie et vient se confondre avec la robe de la mariée.

On éprouve devant la plupart de ces visages une familiarité absurde et vaine, incapable que l'on est de leur donner un nom, lointaines figures croisées lorsqu'on était enfant, qui se sont animées quelques instants à notre rencontre (rapide sourire, petite claque ou baiser humide sur la joue : on n'aimait pas la sensation de froid que laissait la salive sur notre peau, pas plus que son odeur nauséeuse, et on s'essuyait la joue du revers de la main), arrachées à l'agitation rituelle des fêtes de la Toussaint : la maison s'emplissait de chrysanthèmes violets et blancs, de silhouettes brunes et tristes dont les pas claquaient sur le carrelage de l'entrée, de la cuisine.

Bon anniversaire, ma chérie

Il faudrait que je puisse me reposer. Ces nuits si longues passées à attendre dans ce fauteuil que le jour se lève, enveloppée dans une couverture pour éviter les piqûres des moustiques, ces nuits sans fin passées recroquevillée contre la fenêtre comme une petite fille redoutant les fantômes du sommeil, ses clowns, ses marionnettes sans joie, mon ange mon enfant il ne faut pas avoir peur de la nuit disait maman en m'embrassant sur le front essaie de dormir maintenant puis la porte se refermait et je restais seule dans cette chambre au plafond si haut aux murs si hauts sursautant au moindre bruit au moindre grincement, une petite fille peureuse qui ramène ses membres menacés vers son cœur, ses mains enserrant ses jambes et sa tête reposant sur ses genoux, qui écoute tour à tour les battements de son cœur et les hululements des chouettes dont les yeux immobiles bordés de plumettes et de duvet blancs brillent comme des agates, écoute les chuintements, les couinements des rongeurs abandonnant la nuit venue leurs galeries et leurs nids et se répandant sous la lune à la recherche de vers de terre, de larves, d'escargots, de graines, d'écorces, de baies, de charognes, qui de leur ventre affamé froissent les feuilles mortes et les herbes sèches et emplissent la nuit d'une agitation avide et meurtrière. J'ai si mal à la tête. Je descends parfois jusqu'à la cuisine pour boire ou manger un peu, non que j'aie particulièrement faim ou soif mais ça m'occupe : j'oublie pendant ce temps que j'ai mal à la tête, j'oublie que mes yeux me brûlent, que mes tempes me brûlent et que la peur m'empêche de trouver le sommeil. Une partie du corps en fait taire une autre.

Quand le jour se lève se pose alors le problème de ce que je vais faire de ma journée. Eh bien en général je ne fais rien parce que je n'ai goût à rien, parce que je n'ai envie de rien. Je reste allongée sur mon lit, somnolant dans mes draps sales, mordant une tablette de chocolat au lait, vidant un pot de miel à l'aide d'une petite cuillère que je lèche avec soin, lisant un peu mais seulement des histoires vraies, des témoignages, des faits divers, toutes sortes d'entretiens, les inepties des romans et de la poésie ne m'intéressent pas, imaginant une autre vie que celle que je mène ici, une vie qui n'appartiendrait qu'à moi. Il m'arrive de sortir et de descendre jusqu'à la rivière, promenades d'enfant. Là-bas au moins je suis tranquille : plus de pas résonnant dans le couloir, de robes et de mains frôlant la porte de ma chambre, de voix trouant le silence et me disant ce que je dois faire, murmures, chuchotements, plaintes, gémissements. J'ai si peur de faire des bêtises, si peur de me tromper.

Que dira maman lorsqu'elle aura découvert ce que j'ai fait ? Que dira maman lorsqu'elle aura découvert que j'ai encore fait n'importe quoi ?

Enfant je passais des journées entières au bord de la rivière, construisant des barrages à l'aide de branches mortes et de terre brune mêlée de sable, du sable blond hérissé de racines qui s'étirait sur les rives comme une langue de chat, construisant des cabanes entre les troncs des arbres les plus maigres, planches et branchages assemblés à l'aide de ficelles en plastique noir que j'avais volées dans les granges, espionnant au bord de l'étang couchée dans les joncs desséchés les hérons cendrés, les foulques, les poules d'eau, les grèbes huppés, les colverts, capturant les rainettes et les salamandres, surveillant les colonies de fourmis rouges, les araignées translucides qui vivaient sous les feuilles et les bois morts, m'endormant jusqu'au soir à l'ombre des noisetiers ou des châtaigniers sur un épais tapis de mousse.

Il faut faire très attention aux vipères qui dorment en plein soleil sur les pierres brûlantes.

C'est mon anniversaire. Maman et papa me tendent les bras et m'embrassent. Grand-mère aussi m'embrasse mais je ne trouve pas ça très agréable parce qu'elle bave toujours un peu sur ma joue. Je n'aime pas l'odeur de la salive. Je n'aime pas non plus la sensation de fraîcheur qu'elle laisse après sur la peau, comme si on avait percé un trou dans la joue par où s'engouffreraient les poussières, les insectes, les oiseaux. Et puis elle me fait peur dans sa robe toute noire, une robe à manches longues au col de dentelle et de perles noires, dont les deux poches plaquées sont remplies de mouchoirs humides de larmes. Maman m'a expliqué que c'est parce qu'elle porte le deuil de son mari. Il est mort il y a un mois. On n'est plus que tous les quatre maintenant, papa, maman, grand-mère et moi. Des hommes du village ont ramené grand-père à la maison en fin de matinée, raide comme une planche, les yeux révulsés, disant on a bien essayé de les lui fermer mais les paupières se relèvent tout le temps, faudrait peut-être voir à les coller, non ? Depuis elle passe son temps à pleurer. C'est encore pire quand elle regarde les photos : on ne peut plus l'arrêter. Grand-mère pleurant à gros bouillons devant grand-père en costume de marié, grand-père en costume de soldat, grand-père au bal avec des amis, grand-père enfant nu sur un coussin carré ventru, grand-père assis dans un grand fauteuil en cuir, ses avant-bras posés sur les accoudoirs. Je ne comprends pas très bien le sens de ce mot : deuil. Deuil, tilleul, glaïeul, aïeul. Je trouve que c'est bête de s'habiller avec une couleur aussi triste. C'est déjà assez triste comme ça, la mort de quelqu'un. La peau de son visage est fripée comme celle d'une vieille pomme. Ses mains aussi. Elle a sur le visage plusieurs grains de beauté d'où sortent de longs poils bruns. « Bon anniversaire, ma chérie. Il faut souffler les bougies, maintenant. » Et je souffle les bougies. Papa nous demande de nous rapprocher, maman, grand-mère et moi, pour prendre une photo.

Ma chambre sent décidément de plus en plus mauvais. Pourtant je laisse les fenêtres grandes ouvertes. Je ne comprends pas d'où vient cette odeur.

Quand papa est mort il y avait la même odeur partout dans la maison. Une odeur de chair en décomposition. Il souriait. C'était curieux à voir tout de même. Il souriait tandis que ses chairs se décomposaient. Des boules de coton hydrophile sortaient de ses narines. L'extrémité de ses doigts était violacée, presque noire sous les ongles. Son visage était jaune et lisse. Un petit tas de mousse blanche se formait au coin des lèvres puis coulait sur le menton. Il fallait l'essuyer de temps en temps. J'avais du mal à imaginer que ce tas de chair inerte et glacée continuait à s'agiter à l'intérieur, sécrétant une substance blanchâtre et mousseuse semblable à l'écume, alors même que les muscles se figeaient, durcissaient, que le sang s'immobilisait dans les vaisseaux. Que devenait à l'intérieur ce qu'il avait mangé avant de mourir ?

On avait installé au milieu du salon ce lit réfrigérant, ce chariot sur lequel on étend maintenant les morts. Les employés des pompes funèbres s'étaient chargés de tout : laver le corps, le changer, couper les ongles des pieds et des mains, le porter de la chambre au salon, l'étendre sur ce lit glacé, le peigner enfin. Il avait tout de même fallu que maman les aide à descendre le corps, c'est-à-dire qu'elle tenait les pieds pour qu'ils ne s'écrasent pas sur les marches, clap clap. Ils n'étaient que deux et n'avaient pas prévu qu'il serait aussi lourd. Je me souviens du corps imposant de papa descendant l'escalier dans un pyjama bleu marine neuf, sa tête renversée se balançant au rythme des marches qu'ils descendaient tous les trois péniblement. Ils l'avaient hissé sur le chariot, à la une à la deux à la trois, ce n'était pas facile, puis ils nous avaient demandé de quitter la pièce et avaient refermé sur eux la porte du salon. On les avait entendus maman et moi aller et venir dans le salon, poussant les meubles, ouvrant la fenêtre, la refermant, faisant rouler leur chariot sur le parquet.

Nous sommes restées toutes les deux derrière

la porte un quart d'heure environ, sans bouger. Lorsqu'elle s'est ouverte on a vu trônant au milieu de la pièce son corps gonflé recouvert d'un drap blanc qui touchait presque le sol. On ne voyait plus que sa tête et son cou, ses bras. Ils avaient essayé de joindre ses mains sur sa poitrine, mais elles étaient déjà trop raides et se décollaient l'une de l'autre, reprenaient leur position antérieure comme les paupières de grand-père. La main droite se recroquevillait comme si elle cherchait à saisir quelque chose. Les dents du peigne avaient formé des sillons dans ses cheveux. Les volets avaient été fermés. Ils avaient allumé la lampe qui se trouvait sur la cheminée.

Je me souviens qu'il arrivait à maman de chanter dans la maison. Elle chantait faux mais elle avait une jolie voix. Grand-mère n'aimait pas ça et se fâchait contre elle parce que la vérité c'est que grand-mère se fâchait tout le temps contre maman. Elle ne criait pas, parlait lentement, regardait maman droit dans les yeux, attendait qu'elle les baisse et rougisse. Ses lèvres bougeaient à peine. Vieux serpent, disait maman quand elle avait le dos tourné, un jour tu nous foutras la paix. Elle disait aussi qu'elle allait partir, qu'elle ne voulait pas rester une minute de plus dans cette maison avec une cinglée pareille. Au début j'ai eu peur. J'ai vraiment cru qu'elle allait partir. Pendant plusieurs nuits, je l'ai espionnée, cachée au pied de l'escalier. J'avais froid. Le carrelage à cet endroit était humide et glacé comme dans la cuisine, un peu glissant aussi. Et puis j'ai cessé d'avoir peur et de l'attendre, ratatinée dans ma chemise de nuit. Tous les matins elle poussait la porte de ma chambre et me réveillait doucement, sa main sur mon épaule, m'embrassait sur la joue, tirait les rideaux, poussait les volets, disant allez mon enfant mon ange il faut se lever. Je sentais de mon lit l'odeur du pain grillé, du chocolat chaud. Je ne redoutais plus ces nuits menaçantes où maman disparaîtrait pour toujours dans la lumière bleue du parc, se pressant entre les rangées de tilleuls, courant sur l'allée de gravier qui aurait crépité sous ses pas, elle aurait eu peur sans doute, elle aurait senti son cœur battre dans sa poitrine et l'air froid emplir et brûler ses poumons, elle aurait pensé qu'elle n'était pas encore au bout de ses peines, qu'on pouvait s'apercevoir de son départ et la rattraper, elle aurait accéléré le pas, maman franchissant une dernière fois la grille, obliquant sur la droite vers la départementale et se sentant soulagée d'être arrivée jusque là, disant pour s'encourager je suis presque sauvée, maman nous abandonnant papa et moi sans rien dire, nous laissant dans cette maison triste où plus personne ne regarde les photographies des morts accrochées sur les murs de la salle à manger, du salon.

Quelquefois tout de même je me dis que maman doit s'ennuyer depuis que grand-mère est morte.

Journal d'Edith.

De nombreuses fois, lorsqu'elle quitte sa chambre la nuit pour aller chercher de l'eau à la cuisine, elle la surprend ainsi, parlant seule, pleurant, réglant ses comptes à l'abri des regards, injuriant, dorlotant, couvrant de reproches les uns et les autres. Souvent aussi, elle s'adresse à elle comme si elle était là, prononçant son prénom d'une voix douce et suppliante ou la réprimandant, la grondant ainsi qu'on le fait avec les enfants.

« Voyons, Edith, mon enfant, mais qu'est-ce que tu as fait ?... On ne peut décidément pas te laisser seule. »

Elle imagine le corps maigre et blanc de sa mère flottant dans sa chemise de nuit trop grande, ce corps déformé et usé, fragile maintenant, dont elle se demande encore comment il a pu un jour la porter, la nourrir jusqu'à la délivrance finale, hurlant, transpirant, se tordant, se contorsionnant, cet amas d'os et de chairs flasques agité ou plutôt possédé de paroles qui jamais n'ont franchi ses lèvres hors de l'espace clos et protégé de sa chambre, en proie à d'interminables monologues qui ont fini par emplir sa vie tout entière, mêlant sans distinction les vivants et les morts.

Neiges

Sa tête reposant maintenant sur mon ventre
j'avais chaud, je sentais des gouttes de sueur
rouler tout en haut de mes cuisses, sa respiration
avait repris un rythme paisible, il était couché
sur le côté, blotti contre moi, accroché à moi
comme un enfant, son bras gauche était étendu
sur ma poitrine, ses jambes repliées contre ma
cuisse droite, sa tête tournée vers le bas de mon
ventre, quelques mèches de cheveux un peu
humides encore étaient collées sur sa nuque fine
que j'aimais embrasser, que j'embrassais autrefois parce que la peau à cet endroit était douce
et que je pouvais y cacher mon visage, quel goût
avait-elle, sa peau, quelle odeur aussi, je ne m'en
souviens plus vraiment, mes lèvres sur sa nuque,
mes bras sans doute entourant ses épaules, le
serrant fort, pendant une période de ma vie j'ai
fait ce geste et pendant une autre période je ne

l'ai plus fait, longtemps on fait les choses par habitude puis elles s'épuisent, s'en vont lentement, plus rien pas même leur réconfort tranquille ne nous fait envie, un jour alors elles ne sont plus là mais on ne s'en rend pas compte tout de suite, voilà, nos corps ainsi mêlés je remarquais combien sa peau était blanche, autour de nous tout était silencieux, dehors la neige tombait à gros flocons, nous étions arrivés à la nuit tombée en pleine tempête, on ne voyait rien, les rafales de vent s'écrasaient contre la voiture, soulevant les flocons qui se déplaçaient en tous sens avec la brusquerie de nuées d'oiseaux, nous avions garé la voiture n'importe où, dès les premières maisons je crois, je ne sais plus très bien, nous étions partis nos valises à la main cherchant dans les rues enneigées l'hôtel où ton père avait réservé une chambre pour la semaine, je crois que nous nous sommes perdus, du moins avons-nous cherché longtemps l'hôtel, la neige s'écrasait sous nos pas comme le sable mouillé des bords de mer, j'aimais ce bruit, le sol devenu tendre, malléable, on entendait le bruit feutré des congères s'effondrant sur le sol, puis la tempête s'est calmée, le patron de l'hôtel était soulagé de nous voir arriver, il pensait que nous avions été retenus par la tempête, coincés sur la route qui menait au col ou quelque chose comme ça, il arrivait souvent que les gens se laissent surprendre par la tempête et passent la nuit dans leur voiture, notre chambre se trouvait au dernier étage, c'était une petite chambre mansardée aux murs recouverts de lambris, on voyait en contrebas la neige danser dans la lumière blafarde des lampadaires qui éclairaient la place toute blanche de neige, ton père dormant toujours je sentais sur mon ventre les inspirations, les expirations régulières de son corps nu recroquevillé contre le mien replet déjà quand le sien trop maigre semblait malade, la peau sur les os, les veines saillant sous la peau blanche, presque transparente, un enchevêtrement de veines bleutées sillonnant sa main, son bras que je caressais d'un geste mécanique, des petits canaux s'entrecroisant qu'on aurait pu sectionner avec une lame de rasoir d'un léger coup de poignet, la lame coincée entre le pouce et l'index entamant la peau puis la veine trop saillante, un filet de sang tiède se mettant à couler, à fuir par l'entaille longue de quelques millimètres, peut-être plus, ce serait facile, on ne souffrirait pas ou très peu, on serait juste effrayé de se savoir ainsi à la merci du premier venu profitant de notre sommeil, on aurait peur ensuite de s'endormir, on veillerait jour et nuit pendant quelque temps à l'affût du moindre bruit puis on oublierait, je me demandais au bout de combien de temps l'absence de sommeil était mortelle, c'est idiot voilà pourtant à quoi je pensais tandis que je suivais du bout des doigts ses veines bleues, je les suivais jusqu'à ce qu'elles se perdent dans l'épaisseur des tissus, il était très maigre, je me souviens que ses os parfois me faisaient mal, il s'est rattrapé ensuite, je veux dire qu'il s'est mis à manger n'importe quoi, on aurait dit qu'il courait après le temps perdu, enfournant toutes sortes d'aliments gras que la cuisinière et ta grand-mère entassaient dans le réfrigérateur, je trouvais ça répugnant, charcuteries accompagnées de mayonnaise, viandes baignant dans leur jus, gâteaux débordant de crème, morceaux entiers de lard qu'il attrapait de ses doigts adipeux et coinçait entre deux tranches de pain, son appétit avait grandi au point qu'à la fin il mangeait cinq à six fois par jour, il s'installait toujours à la même place, au bout de la table, face à la fenêtre, et il attendait qu'on le serve, bien calé sur sa chaise qui semblait rétrécir à mesure que lui grossissait, son ventre de plus en plus volumineux le repoussait d'année en année un peu plus loin de la table et l'obligeait à tendre les bras vers la nourriture qui trônait dans une assiette ébréchée, une assiette en porcelaine de Limoges bleue et blanche, un verre de vin rouge et un couteau posés devant lui, il ingurgitait bruyamment ce qu'on avait mis dans son assiette ta grand-mère et moi, ta grand-mère naturellement le regardait s'empiffrer avec satisfaction, répétant toujours veux-tu encore autre chose, énumérant à l'envi ce que contenait le réfrigérateur, toutes ces choses infectes, je me souviens des odeurs de viande et de charcuterie qui s'échappaient du réfrigérateur quand on l'ouvrait, une odeur forte, âcre, c'était pire encore bien sûr quand il fallait tuer, vider les volailles ou bien couper en morceaux le porc, le veau, le mouton qu'on nous apportait régulièrement et qui ensanglantaient la cuisine pendant plusieurs jours, comme il mangeait bien son cher fils, elle supposait sans doute qu'il y avait là de quoi être fière, le voir se gaver de cette façon c'est-à-dire comme un porc, quel plaisir en effet pour une mère, vieille cinglée, je ne sais pas si elle se rendait compte de ce qu'il devenait sous son nez, un monstre boursouflé dont la seule préoccupation consistait à se remplir l'estomac, ses chairs grasses roulant sur elles-mêmes, rebon-

dissant, tas de graisse hoquetant, rotant, récla-
mant encore et encore à manger, j'ignore à quoi
il pensait si toutefois il pensait à quelque chose,
je me disais tout de même qu'il était impossible
de ne penser à rien ou de ne penser qu'à ce qu'il
y avait dans son assiette, mais il ne nous parlait
plus depuis longtemps ou si peu alors comment
savoir, je me demandais dans quel épais repli de
son cerveau il nous avait rangés, ta grand-mère
et moi, ton grand-père, je me souviens que je
pouvais compter ses côtes tandis qu'il allait et
venait au-dessus de moi, je sentais sous mes
doigts les os pointus de sa colonne vertébrale,
une vertèbre puis une autre, sa peau était douce,
nous venions d'entrer dans la chambre, ses
mains posées sur mon visage tremblaient, moi
aussi j'étais intimidée, il avait blotti son visage
contre mon épaule, il m'avait semblé qu'il pleurait mais je n'en suis pas sûre, je ne sais pas, je
me souviens que mes yeux à moi aussi s'étaient
emplis de larmes, nous faisions un joli tableau,
ton père et moi, enlacés près de la fenêtre les
yeux pleins de larmes le premier jour de notre
voyage de noces, un enfant, sois patiente, nous
sommes restés ainsi de longues minutes, chacun
cherchant à dissimuler son visage rougi et
mouillé sur l'épaule de l'autre, il disait le son de

sa voix se perdant dans mes cheveux je ne sais plus ce qu'il disait, tandis qu'il dormait je regardais entre mes seins le haut de son corps se soulever, il inspirait profondément, s'enfonçait dans le sommeil, les muscles se détendant brusquement, se relâchant dans un sursaut, son souffle bruyant à ces moments-là rafraîchissait mon ventre et l'intérieur de mes cuisses, je ne voulais pas m'endormir tout de suite, le haut de son corps devenait de plus en plus lourd, je sentais son épaule et son coude s'enfoncer dans mon ventre dont ils creusaient les chairs en douceur, je me souvenais de son sexe allant et venant en moi, les os de ses hanches venant frapper l'intérieur de mes cuisses, il faisait nuit depuis longtemps maintenant, la lampe de chevet éclairait faiblement la pièce, il neigeait encore quand je fermais les yeux, nos corps blancs se mêlant aux draps blancs.

Des chiens, mon fils, des chiens

Le prêtre en dorures et satin blanc bégayait derrière son pupitre la femme ne dispose pas de son corps, mais le mari, pareillement le mari ne dispose pas de son corps mais la femme, couvait les jeunes époux d'un regard plein de douceur et de compassion chrétiennes, les bénissait pour finir dans un sourire de satisfaction, sa main droite suspendue au-dessus de leur tête : l'imbécile. On voyait dépasser sous sa robe ses chaussures noires mal cirées et couvertes de poussière ocre. Leurs jambes serrées l'une contre l'autre, repliées sous le banc glacé de l'église qui sentait le salpêtre et l'eau croupie, le corps de l'homme écrasant celui de la femme semblable assise ainsi à ses côtés à une enfant chétive, ils observaient leur fils passant à son doigt l'alliance que le prêtre lui avait tendue sur un coussin de velours bordeaux, relevant d'un geste timide et maladroit le voile blanc de celle qui était maintenant son épouse (cette petite pute tremblant devant eux dans le salon à deux pas du canapé où ils étaient installés tous les deux, son mari et elle, cette petite pute qui les mains croisées derrière le dos comme une écolière attendait sans doute qu'on la complimentât et lui posât toutes sortes de questions traduisant l'intérêt ou la reconnaissance, mais ils ne lui avaient rien dit de tel : que pouvait-elle attendre d'eux en effet puisqu'ils avaient formé pour leur fils de tout autres projets, il suffisait de la voir, empêtrée dans une robe à pois jaunes bon marché dont l'encolure bâillait, dont le col froissé se relevait de façon grotesque en point d'interrogation, pas du tout ce qu'ils avaient imaginé et pourtant ils avaient accepté ce mariage comment ces choses sont-elles possibles) choisie en traître ou plutôt en irresponsable (Dieu savait comment), posant sa main sur son épaule, penchant vers elle son visage pour l'embrasser, ses lèvres maintenant sur sa joue qu'elle tendait fermant les yeux avant de lui rendre son baiser (son voile alors tombant sur leurs visages), se redressant et se tournant vers eux sans les voir, prenant son épouse par le bras et se dirigeant d'un pas lent vers la sortie dans un bruit de voiles et d'étoffes, dans un grincement de bancs et de chaises sur le ciment humide où s'émiettaient des morceaux de crépi. Les portes avaient été tirées, laissant entrer dans l'église un rai de lumière blanche dans lequel dansaient des grains de poussière. La cérémonie enfin s'achevait.

Ils avaient découvert son existence trois mois plus tôt et au premier coup d'œil l'avaient jugée indigne de ce fils unique dont ils voulaient que la vie fût exemplaire ou plutôt poursuivît ce qu'ils nommaient leur revanche depuis qu'ils étaient venus s'installer au Château, à quelques kilomètres du village, succédant à l'industriel et à ses deux fils (la tristesse dont ils n'avaient pas fait mystère – notre père autrefois si élégant qui aujourd'hui se laisse mourir et ne veut plus nous voir quelle déchéance comment ces choses sont-elles possibles – attisait le sentiment de victoire qu'ils avaient éprouvé lorsque l'affaire avait été conclue dans l'étude sombre et enfumée du notaire), de sorte qu'ils l'avaient gâté comme on le dit de fruits ou de viandes commençant à pourrir.

Il avait grandi loin des enfants de son âge, lesquels, ayant appris plus tard à le redouter comme leurs pères avaient appris à redouter le sien, le saluaient avec respect (cette façon qu'ils avaient de s'incliner lorsqu'ils lui tendaient la main, de baisser les yeux comme on le fait à l'église devant le prêtre qui tend vers vous sa main pour vous donner l'hostie et vous bénir, de remercier avec ostentation, d'attendre qu'il tournât le dos le premier avant de s'en aller, remerciant encore) sur la place du village les jours de marché, de fête, de conseil municipal où son père avait pris l'habitude de l'emmener dans l'espoir qu'il lui succéderait un jour : il l'installait derrière lui sur un tabouret, lui disant au creux de l'oreille avant l'arrivée des conseillers qu'il devait apprendre ce qu'étaient le pouvoir et l'autorité sans lesquels nous ne serions rien mon fils, disant il faut les mater avant qu'eux ne te matent car ils n'attendent que la première occasion pour te planter un couteau entre les omoplates, des chiens, mon fils, des chiens, mets-toi ça dans le crâne, il faut leur clouer le bec une fois pour toutes, leur en coller une bonne mon fils sinon c'est la fin, c'est comme ça qu'il faut faire si tu veux commander cette racaille, son père se retournant vers les conseillers municipaux qui avaient pris place et chuchotaient de part et d'autre de la grande table rectangulaire où s'empilaient de maigres dossiers, se raclant la gorge et avalant sa salive, tirant sur les manches de sa veste et s'asseyant en monarque dans son fauteuil en cuir brun, son père attendant les avant-bras posés bien à plat sur les accoudoirs que chacun se tût puis donnant la parole à chacun qu'il écoutait pour le seul plaisir de le contredire, faisant retentir une heure durant sa voix de stentor dans la petite salle aux murs décrépis devant les conseillers qui repartaient leurs dossiers sous le bras, furieux d'avoir été ridiculisés : il faut leur clouer le bec mon fils des chiens voilà ce qu'ils sont des chiens mets-toi ça dans le crâne.

(Sa mère le berçant de longues minutes devant la cheminée de leur ancienne maison où doraient sur les braises rouges d'épaisses tranches de pain qu'il trempait dans un bol de chocolat crémeux (il avait quatre ou cinq ans), lui caressant les cheveux, s'amusant à les faire glisser entre ses doigts, chantonnant d'une voix inquiète tandis qu'il commençait à s'endormir sur son épaule, caressant son visage, ses yeux, sa bouche, ses joues, son nez, prenant ses mains dans les siennes, murmurant mon enfant mon ange tu ne dois pas m'abandonner, mon seul bien, la chair de ma chair, reste avec moi, sa mère couvrant son visage de baisers comme s'ils devaient ne plus se revoir, le serrant contre elle jusqu'à lui faire mal, mon enfant mon ange mon seul bien)

Il faisait une chaleur étouffante ce jour-là. Le temps orageux avait plongé la campagne dans une torpeur qui ne s'estomperait qu'avec les premières gouttes de pluie tandis que monterait de la terre encore tiède une odeur de fruits mûrs. Les oiseaux s'étaient tus. On entendait au loin les aboiements inquiets des chiens qui chercheraient bientôt refuge dans les habitations, les granges, les bergeries. Le ciel commençait à se voiler de nuages filandreux et le vent à froisser les arbres.

Leur fils s'était levé à l'aurore, était revenu en début d'après-midi, suivi dans l'allée d'une silhouette à pois jaunes dont l'allure gauche ne présageait rien de bon. Ils se trouvaient alors dans le salon et les avaient vus à travers les rideaux s'avancer dans l'allée de tilleuls. La porte du salon franchie la silhouette à pois jaunes se dirigea vers eux, leur tendit une main moite de sueur, dit combien elle était contente de faire leur connaissance, puis alla se placer derrière leur fils qui leur expliquait qu'ils avaient décidé de se marier. Les mains croisées derrière le dos comme une écolière, elle fixait les volutes de fumée qui s'élevaient du canapé, le séquoia qui ployait et craquait sous les rafales de plus en plus cinglantes, les rideaux blancs qui balayaient le carrelage, se gonflaient et se dégonflaient comme des ballons de baudruche. Ils l'observaient d'un air incrédule, détaillaient sa robe, son visage, ses mains, ses chaussures, puis soudain la voix de l'homme s'éleva du canapé, disant il a fallu que parmi toutes les filles du coin tu choisisses celle-là, mais mon pauvre fils comment ai-je pu me tromper à ce point sur toi qui n'as pas le moindre bon sens, qui n'as pas compris que les femmes se choisissent comme le reste, qui n'as rien appris pendant les années que tu as passées à mes côtés, à se demander si tu n'es pas idiot, des chiens, mon fils, des chiens, aurais-tu oublié tout ce que je t'ai dit, reprenant son souffle avant de poursuivre encore au lieu de quoi tu nous ramènes la première imbécile venue qui nous lécherait les pieds si on le lui demandait, qui sans doute ne sait rien et ne saura jamais rien parce que pour elle tout est fini depuis longtemps, mon fils, mon pauvre fils, s'arrêtant quelques instants puis continuant encore au fond peu importe car je ne te crois pas capable de quoi que ce soit, tu resteras ici avec elle puisque c'est elle que tu as choisie, il faut que quelqu'un s'occupe de cette propriété quand je serai mort, et vous ma belle dites-vous bien qu'on ne vous demandera pas votre avis, contentez-vous de faire ce qu'on attend de vous.

La petite sirène

Quand je descendais à la cave les elfes, les djinns, les trolls, les korrigans, les farfadets, les rats aux ailes de perroquet, les poissons aux oreilles de lynx, les pigeons au pelage tigré, les anguilles aux plumes soyeuses, les mésanges aux ailes d'écailles, tous disparaissaient d'un souffle quand j'ouvrais la porte et appuyais sur l'interrupteur, fuyant la lumière de l'ampoule électrique comme les vampires la lumière du jour, s'engouffraient dans un trou de souris, se fondaient dans les murs, rapetissaient jusqu'à devenir invisibles, se cachaient au milieu des cartons et des cageots vides, dans les gravats, dans les anfractuosités du mur, sur les rayonnages poussiéreux où s'alignaient des dizaines de bouteilles de vin rouge, de vin blanc, des bouteilles de champagne, m'observaient dans un concert de chuchotis, de bruits étouffés, de mélodies dissonantes, de craquements semblables au bruit que font les coquillages sous les pas quand les marées et le ressac les ont réduits en poussière. J'imaginais les elfes, les korrigans, les farfadets, les djinns, décollant les étiquettes des bouteilles et s'y enroulant comme dans une couverture, se pourchassant de bouteille en bouteille et se jetant à la figure des débris de verre et des morceaux de crépi, se nourrissant de moisissures et de vermisseaux, trottant sur les rayonnages, dididom, dididom, dididom, en faisant tintinnabuler les grelots minuscules accrochés au revers de leurs chaussures multicolores. Au bout de quelques minutes un silence parfait s'installait. Je n'entendais plus que le bruit de ma propre respiration. Je les imaginais tous pétrifiés, sortant mais à peine la tête de leur cachette, fixant sur moi des yeux inquiets, attendant sans doute que je les laisse tranquilles et les rende à l'obscurité. Je pensais pourtant que ma ténacité serait un jour récompensée, qu'ils finiraient par quitter leur retraite et m'admettraient parmi eux.

Il y avait dans la cave des dizaines de chauves-souris accrochées en grappe au plafond. Elles s'installaient dans la salle la plus sombre

et la plus froide, là où on entreposait notre
réserve de betteraves rouges et de pommes de
terre, des dizaines de kilos de pommes de terre
dans des filets orange crevés tapissés bientôt de
germes translucides semblables à de gros vers
qui serpentaient sur le sol humide, un sol en
terre battue constellé de moisissures blanches,
de champignons verdâtres à peine plus gros
qu'une allumette et de flaques d'eau glacée qui
s'étiraient le long des murs en fines lamelles
argentées. La lumière vive de l'ampoule électrique ne les dérangeait pas. Elles se tordaient lorsque je caressais leur ventre doux, comme c'était
doux oui, on aurait dit du satin, du velours.
Elles déployaient doucement leurs ailes duve-
teuses, ensommeillées encore, bâillaient, découvraient leurs dents blanches et pointues, grimaçaient sans bruit.

À force de rester couché papa avait fini par
avoir des escarres. La première fois que j'avais
entendu ce mot-là, c'était à propos de grand-
mère. Elle en avait régulièrement, des escarres,
dont elle conservait les cicatrices sur ses cuisses,
plein de cicatrices blanches toutes fripées longues de plusieurs centimètres, qui ressortaient
sur sa peau mate. Quand elle se baissait pour

mettre du bois dans la cuisinière ou enlever les mauvaises herbes dans les allées du jardin, on les voyait émerger de ses bas et grimper le long de ses cuisses, disparaître derrière le coton rosé de sa culotte.

Après la mort de grand-père, il lui arrivait de passer des jours, des semaines entières dans son lit, alors forcément son séjour se terminait par quelques balafres violettes sur les cuisses et les fesses, qu'il fallait désinfecter plusieurs fois par jour avec de l'alcool à 90 degrés (grand-mère à plat ventre sur son lit tamponnant ses escarres avec un bout de coton et serrant les dents le nez dans son traversin), qui cisaillaient sa chair et mettaient autant de temps à cicatriser qu'elle en avait pris à bouder ou faire Dieu sait quoi dans sa chambre, laissant en souvenir sur sa peau ces boursouflures fripées qui ressemblaient à des chromosomes.

Quand elle était là-haut, elle ne mangeait presque rien, exigeait avant de s'enfermer dans un soupir d'agonisante que maman lui apporte du potage, du fromage, un fruit et un peu de pain. Maman s'exécutait en grognant, disposant ce que grand-mère avait demandé sur un plateau qu'elle laissait devant sa porte et reprenait une heure après. Grand-mère y avait à peine touché. Elle se levait pour manger (quelques minutes) et aller aux toilettes. De la cuisine, on entendait les ressorts de son lit se détendre, la porte de sa chambre s'ouvrir et grincer dans le corridor, ses pieds nus couiner sur le parquet, l'eau dégringoler dans les tuyaux qui traversaient la cuisine. Quand la douleur devenait trop pénible grand-mère quittait son lit et revenait avec nous comme si de rien n'était. Alors on n'est plus de mauvaise humeur, on a fini de ronchonner toute seule dans son coin ? demandait maman quand grand-mère surgissait dans le salon, mal coiffée, amaigrie, marchant au ralenti, s'appuyant contre le mur, sur les dossiers de chaises, sur la table ronde où trônaient au milieu de napperons brodés des pots de fleurs en terre cuite verts remplis de cyclamens et d'asparagus qui tremblaient dans leur soucoupe dès que grand-mère posait sa main sur la table, traînant les pieds jusqu'au canapé au milieu duquel elle s'écrasait dans un cri, se tortillant à cause de ses escarres comme un ver de terre accroché à un hameçon. Et puis bientôt on avait oublié. Tout rentrait dans l'ordre, c'est-à-dire que maman et grand-mère se disputaient à nouveau devant papa qui ne disait rien.

Je pensais que pendant tout ce temps grand-mère essayait de mourir et de rejoindre grand-père, dont elle avait installé un portrait juste en face de son lit, mais qu'elle n'y arrivait pas. Je l'imaginais fixant de toutes ses forces la vieille photo jaunie de grand-père dans son costume de soldat (fine moustache, boutons astiqués, torse bombé, calot posé bien à plat sur la tête, bras gauche tombant le long du corps, bras droit replié sur l'estomac) et appelant Dieu de ses vœux pour qu'il l'emporte. Maman disait qu'ils étaient bien assemblés, grand-mère et lui, pas un pour rattraper l'autre, c'est ce qu'elle répétait tout le temps. Je me suis souvent demandé si c'était parce qu'elle n'aimait pas assez grand-père que grand-mère n'arrivait pas à mourir. Peut-être qu'elle avait encore un peu trop peur pour le rejoindre. Maman dit que si elle a vécu aussi longtemps après lui, c'est pour les surveiller, papa et elle, les faire tourner en bourrique. Moi, je ne sais pas. Grand-mère ne parlait pas des longues semaines qu'elle passait enfermée là-haut dans sa chambre. Grand-mère ne parlait jamais, sauf pour dire du mal de maman ou me consoler les nuits d'orage.

Escarre, j'avais cherché la définition de ce mot dans le dictionnaire : zone tissulaire nécrosée, nécrose : mortification cellulaire et tissulaire se produisant au niveau d'un tissu, d'un organe, d'une région anatomique, alors que le reste de l'organisme continue de vivre. Il y avait déjà des parties mortes dans le corps de papa, mais ça je l'avais compris depuis longtemps. Quand un corps commence à sentir mauvais, c'est qu'il est en train de pourrir. C'est curieux mais quand je le voyais comme ça, coupé de partout, je pensais à la petite sirène et à la douleur qu'elle ressentait à chacun de ses pas en marchant sur le sable, une lame de rasoir farfouillant à l'intérieur. C'est amusant de voir de quelle façon les pensées s'entrechoquent, les pensées entre elles, les pensées et les souvenirs, ce qu'on voit et un souvenir, le corps abîmé de papa et celui de la petite sirène, les blessures de papa et celles de la petite sirène. Je ne sais jamais très bien moi expliquer, mettre de l'ordre dans tout ça c'est-à-dire dans mes pensées c'est-à-dire dans ce que j'appelle mes pensées mais que beaucoup (parmi lesquels maman) (parmi lesquels les médecins) préfèrent appeler mes pensées folles, mes idées de rien. Il me semble souvent que je laisse les choses venir à moi, que je ne pense pas, ce qui est logique puisque je ne choisis rien, puisque je ne fais pas d'efforts particuliers pour penser ceci plutôt que cela, puisque mes pensées sont des accrocs, des égratignures. Je reçois mes pensées, je les accueille, je les laisse entrer en moi, envahir mon cerveau, toutes sortes de pensées auxquelles ma volonté reste étrangère. C'est quelquefois décourageant. Je ne peux rien vouloir, rien provoquer, rien obtenir, ou bien alors ce sont des choses qu'on ne mélange pas, des choses inaccessibles, qui ne sont pas convenables quand on n'est plus une enfant. Pourtant mes rêves (comme souvent mes pensées) sont ceux d'une enfant et le resteront. Ça aussi je le sais. Est-ce qu'il me faut changer mes rêves et mes pensées ?

Tu crois que ça te servira à quelque chose ? Maman soupire et lève les yeux au ciel, désolée : je ne suis pourtant pas une imbécile.

La chair violacée de mon père coupée, suintant, saignant, empestant parce que c'est vrai que la maison sentait la maladie dans toutes les pièces. On avait beau aérer les pièces chaque matin, l'odeur était toujours là. On a senti cette odeur longtemps après la mort de papa. Il fallait le désinfecter et le laver souvent. Le drap collait à ses blessures. On s'occupait de lui à tour de rôle, maman et moi, pour lui apporter à boire, à manger, poser à côté de lui la radio contre laquelle il finissait par s'endormir. Mais pour l'aider à se lever, à marcher, il fallait être deux. Il ne marchait pas très longtemps. Il se fatiguait vite, ses jambes le portaient à peine. On l'aidait à faire quelques pas dans sa chambre, jusqu'au fauteuil qu'on avait installé contre la fenêtre, une dizaine de pas en tout, lents et laborieux. Un jour, il a voulu aller dehors. Il y avait du soleil. Il disait que ça lui ferait du bien, qu'il en avait assez de rester enfermé, mais on a dû renoncer parce qu'il était trop lourd. Il a passé la journée dans le fauteuil à observer sur la pelouse l'ombre des arbres qui se déplaçait avec le soleil.

Quand on a compris que c'était bientôt fini, maman et moi, on a apporté le fauteuil dans sa chambre et on l'a installé près de la fenêtre. C'est un vieux fauteuil en cuir brun, assez grand pour contenir deux personnes, ou papa quand il était devenu très gros. A l'hôpital aussi il y a souvent une chaise ou un fauteuil près de la fenêtre : le spectacle du dehors distrait les malades et les mourants. Souvent les infirmières vous installent d'office près de la fenêtre et vous ordonnent de profiter un peu de la nature, ça vous fera du bien vous verrez les arbres les oiseaux les nuages allez. Le fauteuil de papa se trouvait avant dans le salon, en face de la télévision. Il y faisait souvent la sieste après déjeuner, après avoir écouté les informations. Maman et moi, on s'y installait pendant la nuit, une couverture sur les genoux. Maman disait qu'il mourrait en pleine nuit. En fait papa est mort à midi. Il faisait beau et chaud.

Le corps endolori, crevassé de papa, je n'aime pas trop penser à ça. Il respirait bruyamment. La nuit on entendait les râles, les quintes de toux interminables résonner dans la maison. Je n'aimais pas voir ce corps haletant, sans force, non. Au début il refusait qu'on s'occupe de lui mais devant ses tentatives maladroites pour se changer, se lever, se laver, il a cédé. Un jour je l'ai trouvé à genoux près de son lit. Il essayait de remonter dans son lit, s'accrochait aux couvertures qui glissaient vers lui, soulevait ses genoux de quelques centimètres puis retombait lourdement sur le parquet. La descente de lit s'était recroquevillée derrière lui, à ses pieds, repoussée par ses tentatives inutiles. Papa, mon cher papa pleurant doucement tandis que maman baissait le bas de son pyjama pour nettoyer ses plaies. Papa, mon cher papa pleurant encore dans son fauteuil tandis qu'on changeait ses draps, les yeux tournés vers la fenêtre. A la fin je veux dire les derniers jours il ne disait plus rien. Il ne pleurait pas non plus. Le corps énorme de papa se laissant faire comme un enfant.

Un jour je partirai d'ici. Je n'en peux plus moi de vivre avec maman. Elle se comporte avec moi comme si j'étais la dernière des imbéciles, me gronde, me réprimande pour un rien, me dit que je devrais changer ma façon de m'habiller, que j'ai l'air d'une bohémienne làdedans, que toutes ces fanfreluches c'est ridicule car tu n'as plus quinze ans voyons Edith, qu'à mon âge elle travaillait depuis longtemps, que je devrais manger davantage si je ne veux pas ressembler (comme elle, comme grandmère) à ces mannequins qu'on voit maintenant dans les magazines, la peau sur les os et pâles comme un linge, me demande à quoi je passe mon temps toute la journée, fait des réflexions sur le désordre de ma chambre. Cette saleté, toute cette saleté, comment fais-tu pour vivre dans un taudis pareil ? Souvent, elle entre dans ma chambre sans frapper, ramasse mes vêtements sales, les jette dans une bassine, arrache les draps, les couvertures, les secoue, les range dans la bassine, on voit alors des nuages de poussière voler dans la pièce, en installe d'autres, ouvre en grand la fenêtre et pousse les volets, repart sa bassine pleine de linge sale sous le bras, disant d'un ton sec il faut bien que quelqu'un le fasse parce que bien sûr on ne peut pas compter sur toi. Je crois qu'elle me surveille, qu'elle fait tout ça parce qu'elle espère trouver un jour quelque chose de compromettant pour moi, une lettre ou quelque chose de ce genre. Elle ne fait pas du tout ça pour me faire plaisir, pour que je sois bien et que je dorme dans des draps propres. En tout cas une chose est sûre : elle a raison de se méfier parce que bientôt je partirai d'ici. Seulement j'ai pris mes précautions.

On se levait à l'aube. On quittait sans bruit la maison et on s'enfonçait dans les bois. Des brumes épaisses nous enveloppaient à mesure qu'on s'éloignait. Je me souviens du froid saisissant mes mains, mon visage, piquant mes yeux d'où s'échappaient des larmes. Devant moi, la silhouette imposante de mon père fendait la brume. J'entendais le bruit sourd de ses bottes en plastique frappant, raclant le sol. Je marchais, courais derrière lui, jouais à le perdre dans la brume, attendais, essoufflée, qu'il interrompe sa marche régulière et rebrousse chemin, tendant vers moi ses bras puissants dans lesquels je venais reprendre ma respiration.

J'avais appris à reconnaître les arbres, les fleurs et les champignons qui poussaient à des kilomètres autour de la maison, dans les champs, les sous-bois, au bord des ruisseaux. Leurs formes, leurs couleurs, leurs odeurs m'étaient devenues familières. J'en connaissais même le nom latin. J'aimais les boutons d'or (*Ranunculus acris*) parce qu'ils ressemblaient au soleil et laissaient une poudre brillante sur les doigts, la mousse moelleuse des forêts (*Mnium undulatum*) parce qu'on pouvait s'y étendre sans s'égratigner, les fleurs roses du trèfle des prés (*Trifolium pratense*) parce qu'elles ressemblaient à des friandises glacées. Au fil des saisons, j'avais fini par constituer un herbier qui contenait plus de quatre-vingts espèces différentes. Après chaque promenade, je déposais de nouvelles plantes entre les pages d'un vieux livre de géographie que je cachais sous mon lit. Je les en ressortais quelques semaines plus tard pour les ranger dans un grand cahier à carreaux, sous une feuille de papier calque.

Journal d'Edith.

Il fait froid dehors. Il y a de la gelée sur la pelouse ainsi que sur les derniers massifs de fleurs, secs et rabougris, les bouquets d'orties, les ronces rampant sur l'herbe dure. Des nuages de buée s'échappent de sa bouche, de ses narines. Elle aurait dû mettre des vêtements plus chauds. Ce n'est pas grave : elle se réchauffera en marchant. On n'entend aucun bruit. Elle ferme doucement la porte d'entrée, descend une à une les marches de l'escalier de pierre, tenant d'une main sa valise, agrippant de l'autre la rampe froide et râpeuse de l'escalier. L'ombre des arbres s'écrase sur l'allée dont le gravier blanchi par la gelée grince sous ses pas mesurés. La chambre de sa mère est toujours éclairée. Des carrés de lumière se projettent sur le feuillage épais du vieux chêne qui se dresse au milieu de la pelouse, brillant sous la lune. Les feuilles d'automne commencent à tapisser le sol. Elle voit en ombre chinoise la silhouette maigre et voûtée de sa mère balayer le feuillage immobile de l'arbre avec la régularité d'un métronome. Elle suit la rangée de tilleuls jusqu'à la grille. Lentement, la masse compacte de la maison se perd dans l'obscurité. La grille franchie, elle accélère le pas.

Repas

Un jour elle a décidé de s'enfermer définiti-
vement dans sa chambre, c'était un vendredi,
j'entends encore le bruit de ses pas dans l'escalier, le frottement de ses pantoufles sur les marches, vingt-quatre exactement, qu'elle montait
avec une lenteur d'escargot, le grincement ou
plutôt le couinement de la douzième marche
lorsqu'on posait son pied tout à fait sur la droite,
contre la rampe, à cet endroit on sentait le bois
se creuser un peu, s'écraser, le bruit enfin de la
porte qu'elle a refermée derrière elle, de la cuisine je l'entendais se déplacer dans sa chambre,
sortir en douce pour aller aux toilettes, ouvrir
son armoire, les placards de sa chambre, le
grand rangement avant la fin en somme, c'est
ce que je me disais, je pensais que ce serait
bientôt fini, qu'elle allait passer l'arme à gauche
et qu'on serait enfin tranquille, je me souviens

qu'elle brûlait des papiers dans sa cheminée, des centaines de papiers certainement parce que ça a duré plusieurs jours, je me suis souvent demandé ce que c'était que tous ces papiers, des lettres, des photographies, autre chose mais alors quoi, ça n'en finissait pas, il y avait de la fumée partout dans la maison, on voyait de sa chambre descendre par la cage d'escalier, à travers le plafond aussi, des nappes de fumée bleues, en tout cas elle a bien fait le ménage parce qu'on n'a rien trouvé après, rien, pas le plus petit bout de papier, je m'étais souvent demandé ce que son mari lui avait écrit pendant la guerre, il lui écrivait disait-elle tous les jours, ton grand-père s'emparant ému d'un crayon pour lui écrire des lettres du front j'avais du mal à imaginer ça, il était resté là-bas deux ans, il avait été fait prisonnier, s'était évadé, disait qu'il avait été grièvement blessé aux jambes, qu'il devait attendre quelque temps avant de revenir parce qu'il était trop faible, tant de fadaises tout de même, de mensonges, parce que tout le monde savait qu'il s'amusait bien là où il était, j'ignore si elle croyait ce qu'il lui a raconté ensuite à son retour, le retour du guerrier valeureux, ce qu'il lui racontait peut-être déjà dans ses lettres, ou si elle a fini un jour par deviner la vérité, elle n'en a jamais rien dit, quand je l'ai revue c'était sur son lit de mort, ses mains étaient resserrées sur le drap, les couvertures qu'elle avait tirés à elle comme pour se protéger, ah là là quelle histoire, il avait fallu enfoncer la porte parce qu'elle avait pris l'habitude de s'enfermer à clef et bien entendu la clef était restée dans la serrure, c'est le médecin qui l'a enfoncée, je savais pendant qu'il prenait son élan pour se jeter sur la porte qu'elle était morte, étendue immobile dans son lit, froide, mais j'attendais de voir ça de mes propres yeux, et j'ai vu, ses yeux exorbités fixant la photographie de son mari qu'elle avait placée juste en face de son lit, son visage tout entier exprimant l'extase ou plutôt la dévotion, l'absolue dévotion à cet homme, sainte icône, ils étaient bien assemblés ces deux-là, oui, j'ai un peu honte de le dire c'est vrai mais tout de même lorsque je l'ai trouvée comme ça, le teint un peu jaune, raide comme un piquet, parce qu'il faut dire qu'elle était morte depuis deux jours, j'ai espéré qu'elle avait souffert le martyre, qu'elle avait payé pour toutes ses saletés, pour tout ce qu'elle m'avait fait supporter, personne n'est parfait, de toute façon je me suis trompée, arrêt cardiaque, a dit le médecin, une belle mort, j'ai trouvé que c'était injuste, quoi qu'il en soit quel soulagement ça a été pour moi de ne plus la voir rôder autour de nous, j'étais débarrassée, pendant toutes ces années je n'avais rien dit, rien fait qu'elle n'ait contrôlé, surveillé de son œil de rapace, glissant sa tête penchée sur mon épaule que non, on ne pouvait pas faire ça, que c'était à elle de décider de tout, une petite pute, vous comprenez, estimez-vous heureuse d'avoir un toit où dormir, quand elle s'est enfermée à double tour dans sa chambre les autres étaient tous morts depuis longtemps déjà, les autres je veux dire ses parents à elle, ton père bien entendu était encore en vie mais on peut dire qu'il nous avait déjà quittées lui aussi depuis un certain temps, la seule chose qui avait encore le pouvoir de le réveiller c'était manger, il soupirait d'aise comme un nouveau-né quand ses besoins étaient satisfaits, maugréait quelques mots de remerciement, la mort de ta grand-mère bien entendu n'a rien arrangé, je me souviens que le jour de son enterrement ton père debout à côté du cercueil lisant je ne sais quelle ânerie paraissait énorme, plus gros que le cercueil, à la maison quand je le voyais écrasé comme une masse sur sa chaise, souriant son estomac bien rempli, s'essuyant la bouche du revers de la main et

102

rotant pour finir, quel spectacle, je l'imaginais rêvant les paupières mi-closes comme toujours lorsqu'il avait fini de manger de monceaux de charcuteries, de viandes de toutes sortes, se jetant pour les égorger sur des dizaines de volailles qui détalaient effrayées dans un nuage de plumes, ton père ou ce qu'il en restait qu'il fallait gaver comme une oie, qui grossissait à vue d'œil, devenait de plus en plus gros au point qu'il fallait lui acheter de nouveaux habits tous les six mois, on reculait d'abord l'emplacement des boutons, et puis après il fallait bien se résigner à lui en acheter d'autres, les armoires dans la maison étaient remplies d'habits trop petits que ta grand-mère conservait comme des reliques, entassait, pliait année après année, pas du tout la même chose avec elle en tout cas pour ce qui concernait la nourriture, elle ne mangeait presque rien, picorait, elle était maigre comme un clou, lorsque j'ai dû lui apporter à manger là-haut, il me suffisait de déposer devant la porte de sa chambre un plateau contenant un verre d'eau, un bol de potage de légumes, un peu de fromage et de pain auxquels elle ne touchait pas la plupart du temps, elle grignotait et reposait la partie entamée contre le plateau de façon qu'on ne la voie pas tout de suite, cette façon de grignoter en douce, de reposer ensuite son morceau de fromage ou de pain comme si elle n'y avait pas touché ça m'exaspérait, ces mesquineries tout de même, un jour j'ai jeté le plateau contre la porte de sa chambre criant vieille cinglée tu pourrais au moins finir de le bouffer ton morceau de fromage, et tout un tas d'autres choses ignobles que je prenais plaisir à dire oui parce que c'est tout ce qu'elle était, une vieille cinglée bonne à enfermer, alors je l'ai entendue se lever de sa chaise et se diriger vers la porte, à pas mesurés, elle s'est approchée tout près, a collé son oreille contre la porte, je l'entendais respirer ou plutôt haleter, souffler de l'autre côté comme un chien, et rien, pas un mot, on a dû rester là plusieurs minutes, s'épiant l'une l'autre sans rien dire, elle haletant comme un chien, moi retenant ma respiration, j'ai fini par ramasser un à un les couverts, agenouillée derrière cette porte jetant sur le plateau ses restes, j'ai dû en plus nettoyer sa porte sur laquelle avait coulé un peu de potage, dès les premiers jours, je veux dire quand je suis venue habiter avec eux, elle m'avait attribué une place en bout de table, dans un coin, j'avais l'impression de n'être nulle part, et de fait je n'étais nulle part, ni vraiment à table ni vraiment à l'extérieur, j'occupais la place de celui qu'on peut faire disparaître d'un moment à l'autre, on le pousse du bout du doigt et il tombe, elle servait ton père et ton grand-père puis reposait le plat sur la table, ses parents à elle ne quittaient plus leur chambre depuis belle lurette et passaient leur journée au lit ou dans leur chaise longue une couverture sur les genoux, c'était elle qui s'en occupait, si je voulais manger je devais me lever et me servir moi-même, elle me regardait tendre les bras vers le plat puis me dévisageait tandis que je me servais, les repas se déroulaient le plus souvent sans un mot ou alors il fallait supporter les élucubrations de ton grand-père, je me souviens du bruit des cuillères et des fourchettes raclant nos assiettes, de nos verres claquant sur la table, de moi qui me laissais faire, qui ne disais rien, qui n'ai rien dit pendant toutes ces années, mon Dieu comment ces choses sont-elles possibles, ma petite fille, j'avais longtemps pensé qu'elle nous enterrerait tous les deux, ton père et moi, à quatre-vingts-dix ans même si elle avait ralenti la longueur et la vitesse de ses promenades elle battait encore la campagne d'un pas alerte, flottant dans son imperméable beige cent fois reprisé, son foulard violet noué sous le menton, passait des journées entières le printemps venu à arracher dans le jardin les mauvaises herbes qui pendant l'hiver avaient tout envahi, à retourner la terre, des mètres et des mètres carrés de terre sur lesquels elle s'acharnait du matin jusqu'au soir, de temps en temps elle s'arrêtait, sa bêche plantée droit devant elle je la voyais alors de la cuisine agiter les bras, s'adressant debout au milieu de son carré de terre à je ne sais qui, lorsque le vent se dirigeait vers la maison le son de sa voix me parvenait mais je n'ai jamais pu comprendre ce qu'elle disait, elle avait peu changé durant toutes ces années, même silhouette maigre vêtue de noir, de violet, de marron, portant été comme hiver les mêmes bas noirs qui laissaient voir ses petites cicatrices blanches, des escarres, elle était juste un peu plus voûtée, un peu plus racornie qu'autrefois.

Revanche

L'enfant avait dix ans lorsqu'ils avaient envahi les pièces hautes et claires de la maison au toit d'ardoise. Il savait depuis le jour où il les avait vus revenir triomphants de leur visite (ils avaient suivi dans les dépendances, dans le parc, dans la maison, les fils de l'industriel, s'étaient pressés derrière les portes que ceux-ci poussaient résignés et las, tendant la main vers le centre la pièce (voici la bibliothèque, voici la chambre de feu notre mère), disant qu'ils ne voulaient pas qu'on prît leur attitude pour une marque de mépris, simplement des circonstances dramatiques les obligeaient à quitter la région, il s'agissait pour eux d'un déchirement, ils se sentaient comment dire endeuillés vous comprenez orphelins, on finit par s'attacher aux lieux, aux objets, fussent-ils insignifiants ou laids, les hommes sont si sentimentaux mais

vous souriez vous avez raison, ils avaient fini par
ne plus les écouter, avaient imaginé ce que serait
bientôt leur vie derrière ces murs, s'étaient attribué en secret une chambre, avaient pris place
dans le salon près de la cheminée ou au bord
de la fenêtre, avaient fait glisser leur main sur
les tapisseries et le marbre des cheminées,
s'étaient assis sur les marches râpeuses de l'escalier de pierre, les yeux tournés vers l'allée bordée de tilleuls, pensant bientôt nous serons ici
chez nous) qu'il aurait une chambre à lui, au
premier étage, tout au bout du palier, entre la
chambre de ses parents et celle de ses grands-
parents, une chambre au parquet lisse et sombre
sur lequel étaient dessinés les contours d'un
tapis rectangulaire, aux murs couverts d'une
toile rugueuse et rouge que ternissait une
épaisse couche de poussière, au plafond blanc
bordé de moulures d'où pendait un lustre en
cristal bleu dont les gouttes oblongues cliquetaient dans les courants d'air, aux rideaux jaunis
et déchirés tombant d'une tringle rouillée – ainsi
en avaient-ils décidé tandis qu'il attendait seul
leur retour, assis sur la margelle du puits, ses
jambes se balançant au-dessus du rond d'eau
calme et argenté où se reflétait l'ovale de son
visage. Cette chambre lui semblait aussi impo-

sante et inquiétante que le grand conifère qui se dressait face à la fenêtre et ne ressemblait à aucun de ceux qu'il connaissait : les pins, les mélèzes, les épicéas. Celui-là était différent, dominait les autres arbres de plusieurs mètres. Son père lui avait dit qu'il s'agissait d'un séquoia. Aux États-Unis il y en avait beaucoup, des forêts entières, qui se dressaient près de l'océan Pacifique, vers San Francisco, des forêts de séquoias vieilles de plusieurs centaines d'années – du moins était-ce là ce qu'avaient expliqué les fils de l'industriel.

Pendant plusieurs jours des camions gris s'étaient succédé, gravissant avec peine la route bordée d'arbres dont les branches s'écrasaient en sifflant sur la tôle ondulée, déversant devant l'entrée principale les armoires démontées, les bois de lit, les tables, les coffres, les buffets, les commodes, le canapé, les fauteuils, les chaises, le vaisselier, qui composaient un mobilier désassorti et sans grande valeur en comparaison de celui qu'ils avaient vu lorsqu'ils étaient venus visiter la maison (ils se souvenaient des commodes aux larges tiroirs, droites ou en demi-lune, marquetées, agrémentées de dorures, de gravures, de ciselures, des tables de jeu, des fauteuils aux renflements bizarres, des psychés immenses dont les pieds imitaient les pattes d'un lion, des tables basses aux contours sinueux ornées sur les bords et les pieds de motifs végétaux – notre père aimait tant ses Majorelle, des pièces de collection vous savez, si fines si délicates –, des armoires laquées sur lesquelles étaient représentés des jardins japonais où se promenaient des femmes en kimono surmontées d'ombrelles, ils se souvenaient des parquets luisants et des odeurs d'encaustique), les sommiers, les matelas, les cartons, valises et autres sacs en toile et en papier qui s'étaient entassés avec le reste sur le perron, sur la pelouse, étaient restés là plusieurs jours, renversés, couchés, protégés par des bâches en plastique noir ou des couvertures qui claquaient avec le vent, maintenues par des cordes trop sèches dont les nœuds se défaisaient sans cesse. Ils étaient sortis en pleine nuit dans la lumière blafarde de l'ampoule électrique qui tremblait au bout de son fil au-dessus de la porte d'entrée, avaient erré au milieu des meubles dont la peau de plastique et de laine, glissant sur le bois, semblait murmurer quelque chose. Emmitouflés dans leur robe de chambre, pieds nus dans l'herbe humide et froide, ils pensaient que le lendemain on viendrait du village à nouveau les aider : ce serait bientôt fini, une armoire, puis une autre, un coffre, puis un autre, qui s'engouffrerait cahin-caha dans le couloir, la cage d'escalier.

L'emménagement terminé, le père de l'enfant, promu depuis peu propriétaire terrien, avait disparu sur son domaine avec les ouvriers recrutés la semaine précédente dans le salon (lui trônant jambes croisées et cigarette aux lèvres sur le canapé vert canard qui avait pris place près de la fenêtre sur un tapis rectangulaire aux bords effilochés, eux défilant un à un devant lui, tenant leur casquette à hauteur du bas-ventre et se pliant dociles à chacune de ses exigences – cette façon qu'ils avaient de s'incliner et de baisser les yeux) au volant d'un tracteur rouille qui toussait, laissait derrière lui une épaisse fumée grise, auquel on avait accroché une remorque (deux roues surmontées de planches grossières et mal taillées) sur le bord de laquelle s'étaient assis les ouvriers tressautant sur les chemins cailouteux, leurs jambes se balançant dans le vide au rythme des ornières. Lorsqu'il y avait trop de travail la bonne et la cuisinière envahissaient à leur tour les champs (l'enfant parfois les suivait, trottinant derrière elles dans les herbes qui chatouillaient ses jambes nues : les podagraires, les anthrisques, les lychnides, les achillées, les marguerites), jetant sur les remorques les bottes de foin et de paille qui s'étiraient sous le soleil en d'interminables rangées, rassemblant les troupeaux et les menant jusqu'aux bergeries dans lesquelles ils étaient traités contre les parasites, triés avant d'être vendus, surveillés pendant l'agnelage, arpentant des kilomètres de sillons de terre ocre pour y planter choux et betteraves, inspectant les sous-bois et les fossés à la recherche de moutons égarés ou tombés sur le dos (lorsque cela arrivait il était rare qu'ils se relevassent : ils bêlaient d'une voix grasseyante et agitaient les pattes, gonflaient jusqu'à ce que la peau rose de leur ventre fût couverte de crevasses minuscules, mouraient en moins de deux jours devant un tas de crottes noires aussi gros que leur tête, se décomposaient dans un tourbillon de mouches et d'asticots qui fourrageaient dans la laine, dans la chair, s'attaquant d'abord aux pattes et aux yeux puis au corps tout entier, la laine se détachait de la peau, s'éparpillait pour finir dans l'herbe en paquets graisseux et noirâtres), reprenant en fin d'après-midi le chemin de la maison : il fallait préparer le repas du soir.

Ils avaient quitté la maisonnette qui bordait le village pour cette maison bourgeoise hérissée d'ardoises qu'on appelait le Château, qu'eux-mêmes appelaient ainsi et avaient continué à appeler ainsi lorsqu'ils avaient pris possession des lieux, une réussite qui dans les années suivant leur installation avait donné au grand-père d'Edith le droit de figurer au conseil municipal puis celui de le présider. Cette promotion leur tenait lieu de revanche, celle des épiciers économes et tenaces qu'avaient été les arrière-grands-parents d'Edith (ils vécurent les dernières années de leur vie dans le confort tranquille d'une maison bourgeoise dont ils avaient d'autant plus joui que nombre de villageois la leur avaient enviée, sans se poser quant aux modalités de son acquisition plus de questions que n'en pouvait exiger une curiosité opportunément vacillante, remerciant leur gendre d'avoir su profiter à temps d'une affaire avantageuse à laquelle ils avaient été heureux de participer, lui confiant leurs économies après lui avoir confié leur fille) sur l'industriel arrogant et dispendieux que sa faillite déshonorante avait contraint à fuir : il prit des décisions, fit retentir sa voix de stentor dans la petite mairie aux murs décrépis tandis que se consumait entre ses lèvres une Gauloise dont il balayait la cendre du revers de la main, apposa sa large signature au bas d'actes de décès, de naissance, de mariage, au bas de documents annonçant la rénovation d'un bâtiment, l'entretien d'une route, l'ouverture de la pêche, de la chasse, la parution de nouveaux décrets au Journal officiel, jusqu'à ce qu'il s'effondrât en plein conseil municipal, victime d'une congestion cérébrale, devant une douzaine de témoins ébahis à qui il fallut quelques secondes pour comprendre que le jour de leur délivrance était arrivé. Une semaine plus tard la grand-mère d'Edith s'enfermait dans sa chambre. On ne la vit pas pendant cinq jours.

Les oiseaux

Ce n'était plus supportable, tout ce désordre, cette pagaille, comme si plus personne n'habitait ici depuis des mois, sans parler des odeurs, alors cette nuit pour m'occuper, parce que je ne dormais pas et puis aussi parce que j'ai pensé que maman serait contente de voir enfin ma chambre astiquée comme un sou neuf, je suis descendue à la cuisine chercher une bassine, une éponge, un torchon, de la lessive pour laver les plinthes, la cheminée, ma table de chevet, couvertes l'une et l'autre de poussière, de taches de miel et de miettes de chocolat au lait, et j'ai commencé à ranger ma chambre, à trier, à laver, à frotter.

Dans un des placards de ma chambre, cachés tout en haut derrière une pile de draps pour que maman ne me les confisque pas, je garde toujours des tablettes de chocolat et des pots de miel d'avance, des miels de toutes sortes, des bruns, des blonds, des blancs, que je vais acheter en cachette à l'épicerie du village. Comme je suis obligée de voler l'argent dans le porte-monnaie de maman parce que je ne travaille pas et que je n'ai pas d'argent à moi (mais si je ne travaille pas et si je n'ai pas d'argent à moi ce n'est pas parce que je suis une imbécile ou une paresseuse ou quelque chose de ce genre comme le prétend maman, non, il s'agit de bien autre chose, une chose beaucoup plus sérieuse, vous comprenez), je n'achète pas plus d'un ou deux pots de miel à la fois, comme ça elle ne se rend compte de rien. Il en va de même pour les tablettes de chocolat.

Avec l'épicière on bavarde un peu. Je crois qu'elle m'aime bien. Elle demande toujours de mes nouvelles, des nouvelles de maman aussi. Personne n'est tenu à la politesse, c'est pourquoi je pense qu'elle m'aime bien. Elle dit que ça ne doit pas être drôle tous les jours d'habiter là-haut dans cette grande maison depuis la mort de grand-mère, de papa, seule avec maman qui commence à se faire vieille maintenant, et je réponds que non ce n'est pas drôle mais que c'est terminé tout ça je veux dire cette vie-là, dans la maison, avec maman, car je vais bientôt partir d'ici et avoir enfin une vie à moi, en ville peut-être, je ne sais pas très bien, je ne me suis pas encore intéressée aux détails pratiques de ma nouvelle vie, je réponds que je ne veux pas finir ici ni être enterrée comme papa dans un cercueil six pieds sous terre, que je veux être incinérée et qu'on disperse ensuite mes cendres aux quatre vents, sur l'eau des rivières, sur la mousse des sous-bois, sur les pétales des marguerites et des boutons d'or, je réponds que l'idée de n'être plus qu'une poignée de cendres me plaît.

C'est le miel de ses ruches qu'elle vend, une vingtaine de pots qui s'entassent à côté de la caisse enregistreuse et se couvrent de poussière parce que les gens ici n'en mangent pas beaucoup. Elle a installé quatre ruches au fond de son jardin, contre un vieux mur de pierres blanches mangées de liserons. Elle habite en bordure du village, dans une ferme, enfin ce qu'il en reste car à vrai dire il n'y a guère que la maison qui tienne encore debout. Les granges et les toits se sont écroulés. Les chênes et les noisetiers ont commencé à pousser au milieu des ruines, les ronces à se promener sur les pierres blanches. Juste à côté de sa maison se trouve l'ancienne tuilerie, une ruine elle aussi, pans de murs par terre et toiture défoncée, qui avait appartenu dans les années trente au premier propriétaire de la maison, un industriel élégant dont grand-mère avait gardé la photographie parue dans un journal qui avait fini par avoir la même couleur que la terre d'ici, un médaillon encadré au-dessus du buffet de la salle à manger comme une sainte relique dans un cadre en plastique noir à côté des photos de ses parents, ça faisait un curieux mélange, un sombre idiot qui n'a pas su gérer sa fortune et s'est fait plumer par ses bons à rien de fils, se moquait grand-père dans un rictus en prenant grand-mère à témoin, ce qui est certain c'est qu'ils ne faisaient pas le poids pour diriger quoi que ce soit, ces deux-là, il fallait les voir jouer tous les deux les guides touristiques dans la maison, dans les dépendances, les granges, les bergeries, avec leur tête de clown triste montée sur le col raide de leur chemise immaculée qui avait dû leur coûter la peau des fesses, cravatés, en costume trois pièces, des manières de femmelettes pleurnichardes, grand-mère pendant ce temps fermait les yeux et tenait sa tête entre ses mains, mimant l'écœurement, grand-père poursuivait sans plus se soucier d'elle, en vérité deux chochottes qui passaient leur temps à se déguiser avec les vêtements de leur père et à lire les romans d'Hercule Poirot, quelle éducation, Seigneur, commentait grand-mère, on ne leur connaissait aucune aventure, aucune liaison, pas même avec les filles du village, grand-mère alors regardait maman du coin de l'œil et soupirait, murmurant ses mains toujours posées sur ses joues Dieu tout puissant si ce n'est pas une honte de voir des choses pareilles, maman disant devant papa qui n'écoutait pas, qui n'écoutait plus depuis longtemps, mais fermez-là cinq minutes espèce de vieille chouette qu'on se repose.

Je n'ai pas perdu mon temps. Tout est bien rangé maintenant, bien propre. J'ai même mis un peu d'ordre dans l'armoire, où tout était queue par-dessus tête, papiers, livres, habits. Mais ma chambre sent toujours aussi mauvais. J'avais réussi à me convaincre que tout ça c'était à cause de la crasse, de mes vêtements sales, des fruits que j'ai laissés pourrir un peu partout, sur la cheminée, sur le parquet, d'autres choses encore dont je ne pense pas à me débarrasser et qui s'accumulent en veux-tu en voilà. Maman m'en fait souvent le reproche. Une infection ici, c'est ce qu'elle dit, et elle part en claquant la porte. Ou alors elle range, une vraie furie, il faut la voir. C'est très théâtral, cette maigreur qui s'agite en pestant, marmonnant, tout à fait l'inverse de papa, si gros, énorme, à la fin une statue de graisse, une otarie luisante de graisse tendant le cou vers sa nourriture. On ne savait jamais à quoi il pensait, maman disant la seule chose qui l'intéresse c'est manger. Aujourd'hui bien sûr on peut raconter ce qu'on veut : il est parti pour de bon.

Peut-être que papa n'est pas mort après tout et que nous ne nous en apercevons même pas. Peut-être qu'il s'amuse là-haut, mange des kilos et des kilos de charcuterie sans grossir et pense à nous de temps en temps. Grand-père lui ne croyait pas du tout aux histoires de résurrection. Mieux valait ne pas en parler devant lui mais avec grand-mère c'était difficile. Laisse-nous tranquille avec ces foutaises, c'est ce qu'il disait quand il entendait grand-mère remercier le Seigneur pour un oui ou pour un non, le temps qu'il faisait, ce qu'il y avait dans son assiette, une lettre que le facteur venait d'apporter. Boniments d'église, la vérité c'est qu'il faudrait enfermer tous les curés, ah mais foutez-moi la paix. Grand-mère se décomposait, disant les mains jointes tu iras en enfer tais-toi par pitié. Après il parlait de la guerre, des morts qu'ils avaient vus, éventrés, puants, l'amour de Dieu mais quel amour, il parlait des dizaines de morts éparpillés sur les routes, dans les champs, accrochés déchiquetés dans les arbres, des mouches qui tourbillonnaient autour des corps et venaient y pondre leurs œufs, de soldats que la guerre rendait fous, de ceux qui ne dormaient plus parce qu'ils avaient la peur au ventre, du jour où il avait été blessé par une grenade et avait été réveillé en pleine nuit par les gémissements d'un chien à côté de lui, il ne savait plus où il était, il grelottait, des mois qu'il avait passés ensuite à l'hôpital militaire, des soldats qu'on amputait à la chaîne, de ceux qu'aucun médicament ne parvenait à calmer et qui criaient pendant des heures empêchant les autres de se reposer si bien qu'à la fin tout le monde se mettait à crier, des nouvelles qui leur parvenaient du front, des blessés qui arrivaient, arrivaient, des cornettes blanches des religieuses qui se relayaient à leur chevet, faisaient des signes de croix au-dessus des morts et relevaient le drap sur leur visage.

Maman se levait et commençait à débarrasser la table. Elle connaissait l'histoire par cœur.

Pour en revenir aux odeurs, elles sont toujours là, mêlées à celles du nettoyant, autant dire que c'est pire. Alors une fois de plus j'ai regardé partout, sous mon lit, dans l'armoire, le placard, la cheminée. Il arrive quelquefois qu'un oiseau tombe dans le conduit et reste coincé. On l'entend gratter, s'agiter à l'intérieur. La plupart du temps on ne peut rien faire car il est trop haut. On est obligé de l'abandonner. Il finit par se laisser tomber d'épuisement, mais il est souvent trop tard. De toute façon cette nouvelle inspection n'a servi à rien : pas la moindre trace de souris morte, de rat, d'oiseau.

On n'est jamais tranquille dans cette maison. Je ne faisais pas beaucoup de bruit. Je marchais à pas de loup pour aller jusqu'à la cuisine, revenir dans ma chambre, même si ce n'était pas facile à cause de la bassine pleine d'eau. J'ai fermé la porte sans la claquer et j'ai commencé à nettoyer, à ranger. Malgré toutes ces précautions maman a été réveillée, enfin c'est ce qu'elle a dit après. Moi je crois plutôt qu'elle ne dormait pas et qu'elle a dit ça pour m'embêter. Je trouve qu'elle exagère et qu'elle devrait arrêter de me tourmenter. Si je pars elle l'aura bien cherché.

Moi non plus je ne dors pas très bien. Je dirais même que je dors très peu pour mon âge mais c'est à cause de la nuit qui engloutit tout, moi repliant mes jambes vers ma poitrine et posant ma tête sur mes genoux et écoutant battre mon cœur des heures durant jusqu'à ce que le soleil blanchisse l'horizon. C'est à cause de ces migraines qui picorent mon cerveau comme des corbeaux et ne me laissent plus tranquille. Je ne sais pas quand elles ont commencé. Il me semble qu'elles ont toujours été là, que depuis des années elles s'appliquent à grignoter mes forces. Et puis maintenant bien sûr il y a ces odeurs. J'y pense beaucoup. Je suis assez inquiète.

Je ne l'ai pas entendue sortir de sa chambre. Je ne sais pas depuis combien de temps elle me regardait, toute maigre et blanche dans sa chemise de nuit. Je pense que je dois un peu lui ressembler maintenant. Je commence à avoir des cheveux blancs moi aussi, sur les tempes, des rides au coin des yeux, et je suis aussi maigre qu'elle. Tout à coup j'ai eu honte qu'elle me voie dans cette position, accroupie une éponge entre les mains, frottant les plinthes pour enlever la couche de poussière. Maman disant qu'est-ce que tu fais encore ma pauvre enfant, je n'ai pas répondu bien sûr, j'ai continué à frotter. Ranger sa chambre de fond en comble en pleine nuit, ce n'est pas très normal tout de même, il valait mieux continuer comme si de rien n'était. Elle est restée là longtemps, debout dans l'embrasure de la porte. Je voyais ses jambes blanches sortir de sa chemise de nuit trop grande. Elles paraissaient plus maigres encore. Je voyais aussi les ongles épais et jaunes de ses orteils qui s'agitaient sur le parquet. J'attendais qu'elle parte. Je voulais être seule. Pourquoi ne puis-je pas être seule dans cette maison ?

Aujourd'hui il a fait beau, alors je suis sortie me promener. Il y avait longtemps que je n'avais pas quitté ma chambre. J'ai décidé qu'il fallait faire honneur à cette journée. J'ai mis une robe à fleurs, un chapeau de paille à larges bords orné d'un ruban de satin rose, des gants de dentelle. J'ai noué mes cheveux avec un foulard en mousseline rouge. J'ai sorti du placard mes ballerines blanches. En me voyant dans la glace avec toutes ces couleurs, je me suis trouvée jolie. Maman ne semblait pas être de cet avis quand elle m'a vue traverser la cuisine. Elle m'a demandé où je comptais aller dans cette tenue de carnaval, si par hasard j'avais rendezvous et avec qui, elle serait bien curieuse de le savoir, mais ce qu'elle pense m'est égal. Aussi ne lui ai-je pas répondu.

Je dis que je me suis trouvée jolie dans la glace cet après-midi mais ce n'est pas vrai, parce que je ne sais pas ce que c'est qu'être jolie ou laide. Je sais que mon corps vieillit mais je ne sais pas si ce corps est aimable, si on peut le trouver beau, si on peut vouloir le caresser, le prendre dans ses bras.

Je n'ai pas pleuré quand papa est mort. Je me souviens que j'ai glissé ma main dans la sienne et qu'après j'ai eu du mal à la dégager. La force de son corps semblait concentrée dans cette main. Ma main à moi paraissait aussi petite que celle d'un enfant, perdue dans ses chairs grasses. Je n'ai pas senti tout de suite combien il l'avait serrée. J'ai gardé longtemps l'empreinte blanche de ses doigts boursouflés. Sa main à lui était violette, presque noire au bout des doigts. Je me suis dirigée vers la fenêtre et j'ai entendu les bruits du dehors revenir, reprendre possession des lieux, comme si pendant tout ce temps, combien de temps, je ne sais plus peut-être une heure, le monde avait retenu son souffle. Je pensais sa main serrant la mienne qu'on en finisse enfin qu'on en finisse. Il la serrait de plus en plus fort, puis il s'est immobilisé, les yeux fixés au plafond (les tissus morts à l'intérieur qui s'étendaient depuis des jours, les employés des pompes funèbres essayant de croiser ses mains mais n'y parvenant pas car elles se décollaient l'une de l'autre, les mains de papa comme en apesanteur, la main droite se recroquevillant et cherchant à saisir quelque chose). Il faisait beau. Le disque blanc du soleil scintillait dans les feuilles, m'éblouissait lorsque les branches s'écartaient les unes des autres. J'ai quitté sa chambre et je suis sortie me promener. Je suis descendue jusqu'à la rivière que j'ai suivie en amont jusqu'aux premières maisons du village. Maman avait dû téléphoner au médecin car j'ai vu sa voiture quitter la place de l'église lorsque j'entrais dans le village et prendre la direction de la maison, s'enfoncer dans les collines. Quand plus tard j'ai franchi le seuil de la maison, les employés des pompes funèbres avaient installé dans le salon le lit réfrigérant, qui ronronnait déjà, emplissait la pièce d'un petit craquement métallique. Je les entendais marcher au premier étage, aller et venir dans sa chambre.

Dans le ciel où volent des nuages blancs et légers s'étirent les ailes immenses d'oiseaux noirs aux cris affolants. À leur approche (on les entend arriver de loin) les vieillards rentrent chez eux, levant les bras au ciel, ferment les volets et attendent, assis près de la cheminée garnie de bûches enflammées, qu'ils s'éloignent. Aux enfants les vieux racontent qu'il ne faut pas se mêler à ces grands oiseaux noirs ni les défier : ce serait plus grave encore que de profaner la tombe des défunts. Pendant la guerre, disait grand-père, les charognards tournoyaient de longues minutes au-dessus des charniers, puis brusquement piquaient du nez, fourraient leur bec dans la chair froide des soldats. Parfois ils s'attaquaient aux vivants qui, trop épuisés pour les écarter, se laissaient déchiqueter.

Journal d'Edith.

Elle prend au plus court, traverse bois et prairies jusqu'à la rivière. Il n'a pas beaucoup plu cet automne. La terre, desséchée par les pluies trop rares, est crevassée. La rivière presque à sec a découvert d'imposants blocs de granit bleutés, plats et lisses, contre lesquels s'agglutinent des paquets de branches et des sacs en plastique. Des filets d'eau ruissellent sans bruit à ses côtés, disparaissent de temps en temps sous le feuillage des saules d'où s'échappent à son approche des râles d'eau et des canards sauvages. La lune ronde et blanche guide ses pas, éclairant le sentier dans lequel elle se faufile avec maladresse, gênée par les ronces qui s'accrochent à ses vêtements et lui griffent les mains.

Elle se repose un peu, une heure ou deux, dans une cabane qui servait autrefois de refuge aux chasseurs. Le soleil, les pluies, les vents, les animaux l'ont endommagée. Les planches disjointes laissent entrer des courants d'air froid. Des toiles d'araignée courent au plafond, sur les murs, dans les coins. Des journaux froissés et jaunis sont empilés près de la porte, à côté d'un tas de brindilles qu'ils utilisaient pour allumer le poêle dont les pieds rouillés s'enfoncent dans le sol couvert de mauvaises herbes. Sur la table bancale, au milieu des empreintes des rongeurs et des débris de bois, une douzaine de verres sales, empilés, renversés, brisés. Elle est construite en hauteur, près d'un étang auquel on accède par un chemin escarpé bordé de rochers et de genévriers.

Enfant elle aimait ce lieu calme et isolé que rien ne venait troubler et s'y sentait plus en sécurité que dans une forteresse. Pour arriver à l'étang le chemin est long et difficile. Il faut traverser des bois de chênes, de noisetiers et de châtaigniers hauts et obscurs ou se risquer à travers les rochers surplombant la rivière.

Soupçons

La vérité c'est qu'on était intrigué par cette histoire, le déménagement et toutes ces dépenses qu'il a faites ensuite comme si l'acquisition de cette maison exigeait qu'il y vive à son tour comme un prince, les voitures dont il changeait tous les deux ans, les ouvriers, la bonne, la cuisinière, qui travaillaient là toute l'année et qu'il fallait bien payer même s'il rognait autant qu'il le pouvait sur leurs salaires, qui faisaient bien autre chose que ce pour quoi ils étaient payés, c'était avant la guerre, en 1935 ou 1936, je ne sais plus très bien, il n'y avait pas que nous qui nous posions des questions, je veux dire ton père et moi, ton père bien entendu n'évoquant le sujet qu'à mots couverts, ce n'était pas le courage ni la curiosité qui l'étouffaient, tout le monde en parlait au village, les ouvriers aussi en parlaient avec les employées, la bonne, la

130

cuisinière, profitant de ce que ton grand-père n'était pas là pour échafauder dans la cuisine toutes sortes de suppositions fumeuses autour d'une bouteille de vin volée dans la cave, se taisant quand j'arrivais et cachant sous la nappe la bouteille et les verres, j'aurais aimé me joindre à eux mais depuis que j'avais épousé ton père ils se méfiaient de moi, les ouvriers surtout, pourtant je les connaissais tous, on avait à peu près le même âge, on avait été à l'école ensemble, seulement voilà un jour on vous fait comprendre que vous avez trahi et que vous ne faites plus partie du même monde, chacun d'un côté de la barrière, quoi qu'il en soit on était tous persuadés que le vieux mentait et qu'il nous avait raconté ces fadaises pour dissiper les soupçons qui pesaient sur lui depuis cette histoire et même avant, en fait dès les premiers jours de son arrivée au village, ton grand-père après avoir acheté le Château parlant à table de la fortune de ses beaux-parents puis d'un héritage qu'il avait fait autant dire un conte de fée, on se demandait bien de quels cousins inconnus venait tout cet argent, il avait prétendu quand il était arrivé là des années auparavant, qu'il n'avait plus ni parents ni cousins ni oncles ni tantes, alors on pouvait se poser des questions, c'était normal, ce qui est certain c'est que l'annonce du notaire parue il a dû se débrouiller comme un chef pour que ses beaux-parents lui confient leur argent et vident leur compte en banque pour l'aider à acheter cette fichue maison, ta grand-mère bien entendu ne se doutait de rien, je veux dire qu'elle n'a jamais imaginé que son mari, un saint parmi les saints dont la photo trônait partout dans la maison au milieu de tout un tas d'autres reliques du même genre, photos de baptême, de mariage, d'armée, de communion, puisse être en réalité une ordure de première, à se demander si elle n'était pas idiote, enfin, ton grand-père je m'en souviens encore disant on ne se rend pas compte c'est vrai mais à la longue ça finit par faire beaucoup un sou puis un sou il n'y a pas de mystère, il faut être tenace et économe voilà, c'est ce qui a manqué à l'industriel le pauvre il doit être bien loin à présent, le toupet de cette crapule quand même qui ne pensait pas un traître mot de ce qu'il racontait un trémolo dans la voix, il y a eu beaucoup d'envieux pour jouer les mauvaises langues bien sûr, qui ont vu des jours durant les camions traverser le village et grimper vers le Château tandis qu'eux restaient dans leur maison minable, qui sont venus aider tes grands-parents et tes arrière-grands-parents à transporter dans la maison les meubles qui s'étalaient sur la pelouse, qui savaient qu'il les narguerait bientôt du haut de sa colline, imaginer qu'ils allaient habiter là-dedans tous les cinq il y avait de quoi l'avoir mauvaise, ces plafonds hauts et blancs bordés de moulures d'où cliquetaient des lustres en cristal, ces rideaux lourds qui tombaient des fenêtres et balayaient le sol, ces parquets lisses recouverts de tapis moelleux, ces pièces si grandes qu'ils s'y sentaient minuscules quand ils devaient se rendre chez l'industriel et l'attendre au salon, ne sachant pas s'ils devaient s'asseoir ou rester debout, se demandant à quoi pouvaient bien servir tous ces sièges, ces banquettes, ces tables, ces buffets, ce que contenaient les dizaines de placards que comptait la maison et qui couraient du sol au plafond, des verres en cristal de Baccarat, des flûtes à champagne, des verres à porto, à cognac, des services en porcelaine rare et chère dont ils ne connaissaient même pas le nom, des couverts en argent rangés dans des coffrets recouverts de satin, des nappes et des serviettes brodées à leurs initiales, des placards hauts de plus de trois mètres dont les portes tapissées se confondaient avec les murs, sans compter qu'après le déménagement,

133

en plus de ses dépenses de prince consort, ton grand-père a décidé de partir à la conquête du village, et allons-y gaiement, tout en continuant à diriger la propriété d'une main de fer, travaillant sans relâche avec les ouvriers qui au moins ne pouvaient pas lui reprocher de se la couler douce, je ne sais pas comment il s'y est pris pour les convaincre, ces imbéciles, je parle des habitants de la commune, les paysans, les commerçants, les fonctionnaires, tous les autres, c'est-à-dire que je ne sais pas de quoi il les a menacés au juste ni ce qu'il leur a promis s'il remportait les élections, le fait est que de conseiller municipal il est devenu maire de sorte qu'en quelques années rien dans la commune, du pan de mur au hangar, d'une toiture à refaire aux installations électriques, d'une canalisation au rachat d'un terrain, n'a pu être fait sans son consentement, ils s'en sont mordu les doigts, ton grand-père se régalant à l'idée de les faire tourner en bourrique les uns après les autres, acceptant un jour telle requête, la refusant le lendemain pour le simple plaisir de les voir se décomposer impuissants devant lui, bafouillant deux ou trois mots de protestation puis repartant furieux de ne pas avoir été écoutés, à ce petit jeu il faut reconnaître qu'il était plutôt fort, ton grand-père sa Gauloise coincée entre les lèvres disant il faut mater cette racaille avant qu'elle ne vous mate, j'imagine que je faisais partie moi aussi de ceux dont il fallait fermer le clapet, je me suis souvent demandé ce qu'ils avaient à craindre ou à cacher pour se laisser mener de cette façon par le bout du nez, parce que tout de même il est resté maire jusqu'à sa mort, et puis un beau jour en fin de matinée ton grand-père a quitté le conseil municipal les pieds devant, congestion cérébrale, quand je l'ai vu arriver dans la four- gonnette de la poste, ses jambes dépassant à l'arrière parce qu'ils n'avaient pas pu fermer la portière, on peut dire que j'étais à peu près aussi contente que le jour où ta grand-mère a passé l'arme à gauche mais c'est une autre histoire, j'avais huit ans quand ils ont déménagé, je m'en souviens bien, ma mère tenait le bar sur la place du village autant dire qu'on était aux premières loges, après l'école j'aidais ma mère à servir les clients, je me souviens de la faillite de l'indus- triel, des ouvriers défilant dans la rue principale puis venant comploter autour d'une verre de blanc, brandissant la photo de Blum en pre- mière page, puis ton grand-père rendant visite au notaire, garant sa voiture devant l'église et entrant d'un pas décidé dans son étude, vidant paraît-il le contenu d'une sacoche en cuir sur son bureau, des billets de banque et des pièces d'or étalés sur le bureau et le notaire qui lui demandait s'il était devenu fou par hasard, se baissant pour ramasser les pièces d'or tombées sur le tapis, qui avaient roulé sous le bureau, la bibliothèque, j'achète voilà l'argent disait ton grand-père tandis que l'autre à quatre pattes ramassait les pièces, il continuait, l'autre debout cette fois, appelez-moi l'industriel qu'on expédie cette affaire aujourd'hui même, dans l'après-midi c'est-à-dire moins d'une heure après ces fils rappliquaient et l'invitaient à venir visiter la propriété, leur père ainsi qu'on me l'a raconté était plutôt mal en point à cette époque et ne quittait plus son lit, lui aussi enfermé dans sa chambre comme ta grand-mère et ne mangeant plus rien, ces manies de vieux tout de même c'est bizarre, l'affaire a été rondement menée car ils emménageaient dans le mois qui a suivi je crois, cet argent sonnant et trébuchant étalé sur le bureau et hop, voilà qui les a mis d'accord, on peut dire que ça n'a pas arrangé les affaires de ton grand-père au village cette histoire non et pourtant il fallait les voir tous défiler devant lui comme s'il avait été l'envoyé du pape, sourires jusque là, courbettes et compagnie mais dès qu'il avait le dos tourné c'était autre chose, chacun y allant de son insulte, crevure, salopard, pourriture, fumier, j'en passe et des meilleures, n'empêche qu'ils l'ont bien cherchée leur punition, quant à ton grand-père il se moquait pas mal de ce qu'ils pouvaient raconter, bon, si on n'aimait pas beaucoup ton grand-père c'était aussi parce qu'il n'était pas d'ici, on n'avait pas l'habitude de voir débarquer des étrangers par ici, il était arrivé au village avant la guerre, je parle de la première guerre, il avait une vingtaine d'années, il avait raconté que ses parents étaient morts dans un incendie et qu'il avait dû partir sans un sou en poche, abandonnant la maison en cendres et ses parents carbonisés à l'intérieur, il n'avait nulle part où aller, pas de famille, c'est en tout cas ce qu'il racontait au début, il avait travaillé ici et là, au hasard, profitant de l'hospitalité des uns et des autres, ne restant pas plus de quelques semaines dans une place, c'était tout de même curieux, alors très vite on l'a soupçonné de s'être débarrassé de ses parents, et d'avoir enterré quelque part un beau magot dans lequel il allait piocher de temps en temps quand il avait besoin d'argent, il a exercé dans la commune à peu près tous les métiers mais ça ne durait pas très longtemps à chaque fois, on finissait toujours par le renvoyer sous prétexte qu'il volait, bien qu'on n'ait jamais pu prouver quoi que ce soit, tout ça c'était avant de rencontrer ta grand-mère, ça n'a pas traîné, ils se sont mariés en grande pompe à l'église, c'était quelques semaines avant l'assassinat de l'archiduc François-Ferdinand, sur la photo jaunie du salon elle ressemble à une poupée de porcelaine, si petite dans sa robe toute blanche qu'on dirait une enfant, ce mariage a fait un fameux scandale car si ta grand-mère était croyante pour ne pas dire bigote ton grand-père lui ne brillait pas par ses sentiments religieux, ton grand-père traitant le curé d'imbécile heureux quand il le croisait au village, bonjour l'imbécile heureux, au revoir l'imbécile heureux, sans parler de leur différence d'âge, presque quinze ans, moi de toute façon ces histoires je m'en moque, Dieu et le reste, il pouvait bien raconter et faire ce qu'il voulait, ensuite la guerre a éclaté, il a été mobilisé, à mon avis une aubaine pour lui, je suis sûre qu'il a trafiqué quelque chose pendant la guerre, cette histoire de blessure et d'hôpital militaire je n'y ai jamais cru, des sornettes, au village on a beaucoup parlé de sa disparition parce qu'il faut bien appeler les choses par leur nom, c'était une disparition, quant à ce qu'il a écrit à ta grand-mère pendant cette période je donnerais cher pour savoir ce que c'était, peut-être qu'il lui racontait ce qu'il faisait là-bas, ses magouilles, ses trafics, peut-être qu'elle était au courant depuis le début et qu'elle aussi nous a raconté n'importe quoi, vieille roublarde, ta grand-mère brûlant dans la cheminée tous ses papiers, toutes ses lettres, pendant des jours, ton grand-père disant de ton père il est trop lâche et trop faible pour supporter la moindre malhonnêteté.

Cadences

Toujours la bonne et la cuisinière le précédaient d'une dizaine de mètres, les mains enfoncées dans les poches de leur tablier graisseux et racontant Dieu sait quoi mais il était trop loin pour entendre ce qu'elles disaient (elles dodelinaient de la tête, haussaient les épaules, une note aiguë parfois s'envolait et parvenait jusqu'à lui, elles se retournaient de temps en temps, s'assuraient qu'elles ne l'avaient pas perdu au détour d'un chemin, lui faisaient un signe de la main, l'attendaient un peu et reprenaient leur marche, peut-être auraient-elles préféré qu'il ne les accompagnât pas lorsqu'elles quittaient la maison et allaient aider les ouvriers dans les champs, peut-être auraient-elles préféré être seules et parler sans crainte mais elles n'en avaient jamais rien dit, à personne, ou alors il avait oublié, ou n'en avait rien su, elles semblaient l'aimer c'est-à-dire qu'elles l'aimaient de cet amour mièvre qu'on éprouve pour les enfants dont l'innocence et l'ignorance cristallisent toutes sortes de regrets, encore leur affection ne disparut-elle pas lorsqu'il grandit et prit plus tard la succession de son père à la tête de la propriété (c'était bien après son mariage, il avait une quarantaine d'années) car elles continuèrent à s'affairer autour de lui avec un empressement d'abeilles, ajustaient sa veste et le col de sa chemise, astiquaient ses chaussures, repassaient son linge et le rangeaient sans un pli dans l'armoire de sa chambre qui empestait la lavande et l'antimite, ainsi faisait sa mère jusqu'à ce qu'elle se mît à divaguer et les oubliât tous, enfermée des jours durant dans sa chambre après la mort de son père qu'il avait découvert en fin d'après-midi, étendu sur son lit dans un costume neuf semblable à celui qu'il mettait les jours de fête ou de conseil municipal pour parader devant ses administrés, ses mains étaient croisées sur sa poitrine, ses paupières mi-ouvertes découvraient la coque jaunâtre de l'œil d'où la pupille et l'iris semblaient avoir été décollés comme des pastilles de couleur, un couple de bougies brillait à chaque coin du lit, une odeur douceâtre d'encens s'était répandue dans la maison tout entière dont les volets avaient été fermés, un crucifix était accroché au-dessus de sa tête avec un brin de buis, son père, silencieux enfin, prisonnier d'une cérémonie funèbre qui l'aurait rendu furieux s'il avait pu se réveiller soudain et découvrir ce que sa femme avait fait de son corps quelques heures à peine après qu'il se fut écroulé dans la petite salle de la mairie devant les conseillers municipaux dont il devinait la joie tandis qu'ils s'agitaient autour de son corps inerte, tâtant son pouls, collant une oreille sur son cœur, et moi, le fils indigne, l'incapable, j'avais comme eux éprouvé une joie intense lorsque je l'avais vu étendu là, me souvenant du martèlement autoritaire de sa voix, me répétant mon père est mort mon père est mort sans trop comprendre encore ce que ces trois mots désignaient, je ne veux pas que ce curé de malheur s'occupe de moi quand je serai mort tu m'entends, répétait-il à maman, je ne veux pas que ce fils de pute me règle mon compte, confession, extrême-onction et tout le tralala, c'est bon pour les imbéciles et les froussards, maman recroquevillée sur sa chaise égrenait son chapelet d'ivoire dans une longue robe noire dont le col de dentelles et de perles noires scintillait à la lueur des bougies, récitait d'intermi-

142

nables prières, ses lèvres bougeaient à peine (maman s'adressant à moi d'une voix inquiète et me prenant sur ses genoux devant la cheminée où tournoyaient de longues flammes jaunes, chantonnant dans notre ancienne maison tandis que je commençais à m'endormir sur son épaule, me dévorant des yeux, caressant mon visage, mes paupières, ma bouche, mes joues, mon nez, prenant mes mains dans les siennes et les serrant très fort, murmurant mon enfant mon ange tu ne dois pas m'abandonner, mon seul bien la chair de ma chair, reste avec moi, couvrant mon visage de baisers comme si nous devions ne plus nous revoir, fermant les yeux et se mettant à pleurer sans bruit comme si une poche de larmes avait soudain crevé derrière ses yeux et se vidait goutte à goutte, une petite coupure par où s'écoulait une eau tiède et salée, maman dont les larmes brillaient et roulaient sur ses joues empourprées, chantonnant d'une voix non pas triste mais monocorde, et je m'endormais sur son épaule), elles tiraient sous lui les coussins et la couverture du fauteuil en cuir du salon avant qu'il ne s'y installât pour regarder la télévision et y faire la sieste, ne remarquant pas qu'il n'était plus l'enfant maigre et docile qui trottinait autrefois derrière elles

143

dans les chemins et les champs mais un tas de graisse que sa femme contemplait avec dégoût, un tas de graisse aspirant à l'immobilité et à la tranquillité, qu'on en finisse, pensant qu'on en finisse, elles ne voyaient rien ou s'en moquaient, insistaient pour qu'il les accompagnât au village en vélo, lui grognant je ne suis plus un enfant voyons et les repoussant d'un geste agacé mais elles n'écoutaient pas, lui offraient en cachette des friandises qu'elles enfouissaient dans un sac en plastique et rangeaient dans le placard de la cuisine derrière une pile d'assiettes ébréchées, du nougat, des carrés de chocolat, des sucres d'orge, toutes sortes de bonbons qui finissaient par fondre et former au fond du sac une pâte gluante et multicolore, et il en fut ainsi jusqu'à la fin (la mort de son père, celle de la bonne, le départ de la cuisinière), elles l'appelaient de leurs petites voix aiguës et l'attendaient dans la cuisine assises côte à côte sur un banc, fouillaient dans leur sac et lui tendaient leurs sucreries ramollies d'une main pleine de minuscules crevasses sombres, disant n'oublie pas d'en garder un peu pour la petite pour ta femme et maintenant va si on nous voyait qu'est-ce qu'on dirait, elles marchaient dans les chemins tapissés de cailloux anthracite et de tuiles brisées qui grinçaient sous leurs grosses bottes en plastique, dans les champs dont les sillons profonds aspiraient ses jambes maigres et laissaient sous la semelle de ses souliers une boue ocre et lourde, dont les tournesols hauts et figés à l'infini en une posture de ballet le narguaient, elles marchaient dans les prairies humides où tournoyaient les libellules à l'abdomen rouge sang, où les joncs s'étalaient en paquets touffus au milieu de mousses jaunâtres gorgées d'eau, dans les prairies arides du plateau hérissées de rochers gris rongés de lichens, où l'herbe rase et dorée des mois de sécheresse s'écrasait dans un froissement de nylon, où les chardons bleutés se dressaient comme des squelettes sous le soleil blanc, où les moutons dessinaient entre les rochers un sentier étroit et poussiéreux qui descendait vers la rivière et la longeait jusqu'à ce qu'un buisson ou une clôture l'interrompît, et l'enfant trottinait sans relâche derrière elles (c'était son premier souvenir : leur marche cadencée, le bruit de leurs pas résonnant sous la voûte kaléidoscopique des chênes, des hêtres, des marronniers, si épaisse qu'en été elle les préservait de la chaleur et des pluies d'orage, leurs voix se mêlant et se perdant dans les feuillages, dans les herbes, le long des ruisseaux, sur les collines, se confondant avec le chant des oiseaux et le sifflement du vent dans les arbres), respirant le parfum des aubépines, des pins, de l'humus, des églantiers, des sorbiers, des tilleuls, des sureaux, des merisiers, cueillant sans discernement toutes les plantes qui se trouvaient à sa hauteur, qu'il apprit bientôt à reconnaître, fit sécher entre les pages de ses livres de classe et colla dans un cahier, recopiant d'une écriture appliquée sous les feuilles et les pétales ternis des dizaines de noms latins dont il donnait entre parenthèses le nom courant, *Pteridium aquilinum* (Fougère-Aigle), *Polypodium vulgare* (Réglisse des bois), *Ranunculus acris* (Bouton d'or), *Silene alba* (Lychnide blanc) *Juniperus communis* (Genévrier commun), *Sambucus nigra* (Sureau noir), *Trifolium pratense* (Trèfle des prés), *Papaver rhoeas* (Coquelicot), *Pulsatilla vulgaris* (Anémone pulsatille), *Achillea millefolium* (Achillée millefeuille), heureux de fuir les pièces immenses de leur nouvelle maison dans laquelle il avait si peur la nuit (il se souvenait des souris et des rats caracolant au grenier, des effraies et des chouettes hululant au-dehors, de l'ombre immense du séquoia s'écrasant sur les murs de sa chambre les nuits de pleine lune, des ailes des chauves-souris déchirant l'air glacé de la nuit, dont la gueule était aussi rouge que l'abdomen des libellules des prairies, des renards silencieux rôdant autour des fermes et laissant au matin un essaim de plumes ensanglantées, des vagues d'animaux se répandant au-dehors à la nuit tombée en quête de nourriture : il dormait la lumière allumée et demandait qu'on laissât les portes des chambres entrouvertes, et puis un jour son père mit un terme à cette mascarade qu'il jugeait puérile, disant mon fils ne sera pas une mauviette une chiffe molle ou alors il n'est plus mon fils, après quoi il éteignit la lampe de chevet et sortit en claquant la porte, disant à maman assez fort pour qu'il l'entendît, il faut que quelqu'un s'occupe de l'éducation de ce petit si on ne veut pas qu'il se transforme en lopette comme les fils de ce vieux cinglé, si ce n'est pas moi qui m'en charge j'aimerais bien que tu me dises qui ce sera, maman ne répondait rien, épluchait sans doute les pages froissées de son missel crasseux) et ne comprenant pas pourquoi les enfants de l'école tournaient autour de lui avec envie depuis qu'il habitait là-haut, l'assommant de questions, brûlant de savoir combien il y avait de pièces, si les cheminées étaient en marbre, si les murs étaient recouverts de tissus brillants, s'il avait trouvé un trésor dans

147

la cave, s'il y avait un souterrain, s'il y avait des dorures sur les murs et les portes, combien ses parents employaient de servantes, si elles le vouvoyaient et comment elles l'appelaient, Monsieur ou par son prénom ou Monsieur et son prénom comme dans les romans de riches, Monsieur Machin reprendra-t-il un peu de thé, Monsieur Machin désire-t-il que je débarrasse la table et lui apporte ses cigarillos, que dirait Monsieur Machin d'un bon coup de pied au cul, que Monsieur Machin ne se vexe pas mais je trouve qu'il a une sale tête, ce jeu-là les amusa plusieurs semaines, Monsieur par-ci, Monsieur par-là, et lui ne comprenant pas comment on pouvait rêver d'habiter dans une maison si grande que leurs propres meubles n'avaient pas suffi à la garnir, de sorte qu'il se promenait des journées entières dans une enfilade de pièces vides où résonnait le bruit de ses pas comme il résonnait sous la voûte tremblante des chênes et des hêtres, se demandant à quoi pouvaient bien servir toutes ces pièces puisque son père lui avait dit qu'ils n'étaient que trois et qu'à trois on n'avait pas besoin de tant d'espace.

Chapeaux d'anniversaire

Demain j'aurai quarante ans. Je n'oublie jamais la date de mon anniversaire. Tous les ans maman prépare pour moi un gâteau au chocolat sur lequel elle dispose en spirale des petites bougies blanches. On les enfonce dans des corolles en plastique qu'on pique ensuite dans le gâteau. On sort la nappe rouge, celle avec des broderies blanches et noires, les serviettes de table assorties, qu'on plie en éventail avant de les glisser dans les verres en cristal. On sort aussi les couverts en argent et la vaisselle en porcelaine. Papa va chercher une ou deux bouteilles de vin à la cave. Quelquefois il en revient avec du champagne. Le repas est délicieux et on s'amuse beaucoup. Maman apporte le gâteau dont les bougies scintillent et le pose au centre de la table. « Allez, il faut souffler les bougies, Edith. » Et je souffle les bougies. On est tous un peu ivres quand le repas se termine. Quelquefois on écoute de la musique. Maman va chercher sur le buffet des disques de Luis Mariano ou de Tino Rossi et invite papa à danser avec elle. Ils poussent la table et les chaises contre le mur et s'élancent sur le parquet, un deux trois, un deux trois. Moi je ne danse pas. Je n'ai jamais appris alors je n'ose pas. Quelquefois dans ma chambre j'essaie de m'entraîner, un deux trois, un deux trois, mais je n'y arrive pas. Mon corps est maladroit. On dirait qu'il refuse de m'obéir. J'en ai honte. Grand-mère dit qu'elle regrette la mort de grand-père qui paraît-il dansait très bien la valse, le tango, et tout un tas d'autres danses dont j'ai oublié le nom. Elle pleure un peu en regardant la photo de grand-père accrochée sur le mur au-dessus du buffet. Ils s'étaient rencontrés le jour du bal du 14 juillet. Il l'avait invitée à danser une valse, puis une autre, et ainsi de suite jusqu'au départ de l'orchestre. Le jour commençait à se lever. Un beau couple, avaient murmuré les gens tandis qu'ils tournoyaient tous les deux sous les arbres, soulevant des nuages de poussière ocre. On avait accroché aux branches des lampions et des guirlandes en papier. Quelques jours plus tard il était venu trouver ses parents pour la demander en mariage. De sa chambre elle les avait entendus bavarder puis entrechoquer leurs verres. Ainsi parlait grand-mère de ce jour-là, essuyant ses larmes du bout des doigts, disant il dansait si bien la valse oui si bien. Je trouve qu'il a une belle voix, Luis Mariano, mais je préfère la musique classique. Schubert et les opéras de Mozart.

En vérité les jambes sèches et blanches de maman dépassant de sa chemise de nuit, les ongles épais et jaunes de ses orteils s'agitant sur le parquet, ses cheveux rares et ébouriffés dévoilant la peau rose de son crâne, maman maigre et pâle enveloppée dans sa chemise de nuit informe et voilà que je pense au jour de sa mort ou plutôt aux jours qui l'en séparent parce qu'on voit bien que son corps tout entier est usé maintenant et qu'elle n'en a plus pour très longtemps mais pour combien de temps exactement, la vie n'en finissant pas de se retirer, laissant sous la paume des survivants un tissu froid et fripé, la mer reculant à l'horizon reculant encore creusant les orbites et les joues, combien de temps exactement, un mois, deux ans, un dixième des jours vécus jusque-là mais peut-être moins, des dizaines d'années aussi c'est possible

car les gens maintenant vivent de plus en plus
vieux, au moindre mal les voilà auscultés, radio-
graphiés, munis d'une ordonnance griffonnée à
la hâte, allongés sur une table d'opération
autour de laquelle s'affairent des marionnettes
en blouse et pantalon bleus, des tuyaux traver-
sant la bouche, transperçant la gorge, l'œso-
phage, des aiguilles s'enfonçant dans la peau
distendue tandis qu'à côté de leur corps inanimé
s'active le bip-bip d'un appareil électronique
pourvu d'un écran noir sur lequel galope une
lumière verdâtre, cette odeur de médicaments
qui empeste partout dans la maison depuis des
années, je crois même qu'elle a toujours été là,
cette odeur, une odeur de camphre, maman
comptant avant chaque repas ses gouttes pour
le cœur, dix, vingt, trente, extrait de digitaline,
coupant tous les soirs en deux son comprimé
pour dormir parce qu'à partir d'un certain âge
il faut diminuer les doses, les accidents sont
rares a dit le médecin mais enfin sur un organisme affaibli mieux vaut être prudent n'est-ce
pas, maman coupant en deux ses anxiolytiques,
ses somnifères, qu'elle avale d'un coup sec en
jetant la tête en arrière, du temps de papa et
grand-mère c'était encore pire il y en avait partout, sur le buffet, dans les placards, les armoi-

res, les tiroirs de leur table de chevet, flacons, ampoules, tablettes de comprimés, de gélules, quand on a vécu comme maman vingt-cinq mille cinq cent soixante-douze jours que représente un treizième du total des jours vécus, combien de jours exactement, combien d'années, à regarder ce corps affaibli on se demande ce qui va craquer d'abord à l'intérieur, le cœur, le cerveau, les poumons, le foie, moi continuant malgré tout à frotter les plinthes poussiéreuses de ma chambre comme si je ne l'avais pas vue, comme si je ne faisais rien d'autre que frotter frotter encore et ne pensais à rien d'autre qu'à ma main allant et venant sur le rebord de la plinthe, comme si je ne l'avais pas vue plantée depuis plusieurs minutes dans l'embrasure de la porte tapotant du bout des pieds sur le parquet, ses orteils jaunes se décollant du bois en émettant des petits bruits semblables à des gémissements, maman piétinant à un mètre de moi et me reprochant de sa petite voix aigre de l'avoir réveillée, moi faisant mine de ne pas l'entendre et ne levant pas les yeux vers elle car elle ne manquerait pas de hausser le ton, à quoi bon répondre et l'accuser de mensonge car elle ment je le sais, dans ces cas-là mieux vaut continuer à faire l'andouille, je sais qu'elle ne dort pas et qu'elle passe ses nuits à faire les cent pas dans sa chambre, racontant n'importe quoi et parlant à Dieu sait qui, qu'elle cherche à m'embêter un point c'est tout il n'y a rien d'autre.

Cette nuit j'ai entendu des bruits de pas sur le gravier. J'ai pensé que quelqu'un essayait de s'introduire dans la maison. Peut-être même y avait-il plusieurs personnes qui s'amusaient à tournicoter là sous ma fenêtre. Je n'osais pas bouger. Je crois que j'ai fini par m'assoupir un peu. Quand je me suis réveillée les bruits avaient disparu et le soleil se levait. Les oiseaux piaillaient depuis longtemps déjà, les merles, les rouges-gorges, les mésanges, les pigeons. Je me souviens du médecin me demandant sourire aux lèvres si j'entendais des voix et qu'est-ce qu'elles vous disent ces voix soyez précise c'est important, sont-elles hostiles, vous font-elles des reproches, essaient-elles de vous protéger, n'ayez pas peur, Edith, n'oubliez pas que je suis là pour vous aider. Pendant qu'il me parlait je regardais ses mains boudinées tripoter un crayon de papier vert mal taillé dont il mordillait de temps en temps l'extrémité, dévoilant des dents d'une blancheur éclatante dans un sourire que je connaissais bien, le sourire engageant du médecin payé pour arracher à ses patients toutes sortes de confessions minables, litanies de saletés. Alors, Edith, n'avez-vous vraiment rien à me dire aujourd'hui ? insistait-il en fourrant son crayon dans sa bouche. Non, je n'ai rien à dire, comme du reste les autres fois où je venais m'asseoir en face de lui dans un fauteuil trop mou dont les ressorts écrasaient mes fesses et mes cuisses, m'obligeant à changer sans cesse de position. Je me tordais de honte sous son regard mielleux. Je n'ai rien à vous dire, docteur, je ne trouve rien à vous dire, tout ce que je vous demande c'est de me laisser tranquille, lui prenant alors un air désolé et me tendant la main eh bien en ce cas au revoir Edith je n'ai pas l'intention de vous contraindre.

Bien entendu rien de neuf concernant les odeurs. Toujours là et venant d'on ne sait où. Mieux vaut ne pas s'étendre sur la question. Il me semble préférable de changer de chambre jusqu'à ce que ces odeurs disparaissent. Je vais aller m'installer dans celle de grand-mère.

Les nuits d'orage je courais me réfugier dans son lit. Je n'osais pas déranger maman dont l'air horrifié, quand je la réveillais en pleine nuit, m'effrayait encore plus. Grand-mère ne dormait pas les nuits d'orage et avait pris l'habitude de m'attendre, disant viens ma chérie viens toutes les deux nous aurons moins peur lorsqu'elle m'entendait piétiner et sangloter derrière la porte entrouverte, que je n'osais pousser avant qu'elle ne m'y ait autorisée. Elle me serrait contre elle sous les couvertures. On regardait les éclairs déchirer les fleurs de la tapisserie et on attendait le prochain coup de tonnerre qui nous faisait sursauter l'une et l'autre. Grand-mère sentait l'eau de Cologne et le savon de Marseille. Comme maman elle portait des chemises de nuit blanches trop grandes. La peau de ses mains, qu'elle posait sur mon bras pour me rassurer, était rugueuse et sèche. Il me suffisait de sentir son corps chaud contre le mien pour que ma peur disparût. Quelquefois il nous arrivait de rire de notre propre frayeur. Quand l'orage s'éloignait je regagnais ma chambre. Grand-mère souvent s'était endormie. Elle ronflait un peu. Je voyais ses narines et ses paupières trembler. Son visage pourtant était paisible et doux. Je n'avais plus peur d'elle alors et je pensais, recroquevillée maintenant sous les couvertures froides de mon lit qui tardait à se réchauffer, mes jambes serrées l'une contre l'autre et repliées vers ma poitrine, j'entendais battre mon cœur, je pensais qu'elle n'était peut-être pas aussi méchante que le disait maman, qu'elle était malheureuse et qu'il ne fallait pas oublier d'être gentille avec elle.

J'espère que maman a pensé à mon cadeau, qu'elle a trouvé ce que je lui ai demandé. J'espère aussi qu'on se reparlera à nouveau parce que c'est triste d'habiter dans la même maison et de ne plus se parler. Je dois dire tout de même que si tout va mal entre nous ce n'est pas de ma faute, c'est de sa faute à elle : elle ne me comprend pas et s'imagine que je suis une écervelée. « Edith, ma petite fille, mais quand cesseras-tu de te conduire comme une enfant ? Tu n'es qu'une tête de linotte, Edith, une tête de linotte. » Elle ne me laisse pas une seconde de répit. Je dois lui rendre compte de mes moindres faits et gestes. Je ne peux pas quitter la maison sans lui dire où je vais. J'en ai assez. Alors j'ai décidé de ne plus lui parler pendant quelque temps. Je me suis dit que ça lui servirait de leçon et qu'elle réfléchirait. Je me suis dit qu'elle comprendrait peut-être combien il est blessant pour moi d'être considérée comme une irresponsable. Et puis après je partirai d'ici bien entendu. J'aurai une vie à moi ailleurs. Dans une ville peut-être, j'aimerais beaucoup habiter dans une ville. Je n'ai pas encore fixé la date de mon départ. Elle en fera une tête quand elle verra que je suis partie. Oui, une drôle de tête.

Journal d'Edith.

Elle passait là des journées entières, faisait le tour de l'étang, recherchant au milieu des roseaux et des joncs des nids de grenouilles qu'elle ramassait et déposait dans un bocal rempli d'eau. Elle aimait sentir au creux de ses mains la masse visqueuse et fraîche de ces nids translucides, piquetés de petits œufs noirs. Elle enfouissait son bocal dans un bouquet de joncs et l'y laissait jusqu'à l'éclosion des œufs. Les œufs éclos, elle vidait le bocal dans l'étang, regardait les têtards grouiller, frétiller à ses pieds, puis se disperser dans l'eau trouble. Elle se cachait dans les roseaux, attendait de voir surgir et se poser sur l'eau des hérons cendrés. Elle en avait repéré trois, qui construisaient leurs nids près de l'étang, choisissant les arbres les plus hauts, d'où elle les voyait quelquefois prendre leur envol. Ils tournoyaient quelques minutes au-dessus de l'étang, atterrissaient avec lenteur d'un coup d'aile majestueux, leurs pattes étendues pénétrant l'eau sans éclaboussures, et s'immobilisaient, le cou replié. Autour de l'étang il y avait aussi des grèbes, des poules et des râles d'eau, des foulques, qui construisaient leurs nids dans les roseaux avec des joncs secs et des feuilles, avançaient sur l'eau en file indienne, les adultes devant, les poussins derrière, hochant la tête et remuant la queue. Au moindre bruit ils se réfugiaient dans les hautes herbes ou, lorsque les poussins étaient assez grands, s'envolaient dans un fort bruit d'ailes. Elle descendait jusqu'à la rivière, s'accrochant aux rochers pour ne pas tomber, aux branches des aubépines, des genévriers. Une eau claire serpentait le long des parois rocheuses recouvertes d'une mousse brillante et humide, disparaissait dans le sol, réapparaissait quelques mètres plus bas de l'autre côté du sentier, puis se perdait dans les sous-bois au milieu des feuilles mortes.

Un sale oiseau

Tout vieux coucou qu'elle était, elle avait bien besoin de se plonger dans son missel crasseux et d'invoquer Dieu pour croire que sous cette crapule sommeillaient des trésors de bonté et de compassion, des vessies pour des lanternes et je sais de quoi je parle, il ne fallait pas être très malin pour s'en apercevoir, ton grand-père au bord de l'étranglement devant ton père qui m'avait traînée jusqu'ici pour leur annoncer qu'on avait décidé de se marier, me désignant du doigt comme une pestiférée et hurlant dans un nuage de fumée bleue il a fallu que parmi toutes les filles du coin tu choisisses celle-là comment ai-je pu me tromper à ce point sur toi qui n'as pas compris que les femmes se choisissent comme le reste, moi pensant c'est quoi le reste tandis que le ciel se voilait de nuages filandreux pareils à des cheveux d'ange, se choisissent comme des génisses à leurs hanches larges et à leurs seins lourds, se choisissent parce qu'elles te craignent et s'écrasent devant toi comme de vulgaires bonniches, toi roulant des mécaniques à leur approche et retroussant leurs jupes, se choisissent pour épater le monde, comme les voitures flambant neuves dans lesquelles tu te pavanes sur la place du village, sur les chemins poussiéreux de ta commune, prenant le ciel et la terre à témoin de tes conquêtes, se choisissent comme n'importe quoi pourvu qu'elles la ferment et s'exécutent, puisqu'au fond tu penses que tout s'achète et se monnaye, un sou plus un sou plus un sou voilà qui nous fait bientôt un joli pactole, moi pensant vieux chameau tu ne m'auras pas car je ne suis pas comme elles mais bien entendu je n'ai rien dit, de sorte qu'à me voir ainsi docile et rougissante comme une première communiante il était facile de croire que je débordais d'affection et de respect pour cette ordure et que j'allais y passer moi aussi ce qui n'est pas tout à fait faux, à se demander si je n'étais pas moi non plus un peu ramollie de la cafetière, enfin, et au milieu des insultes qu'il nous adressait à tous les deux je continuais à afficher ce sourire niais que tu as parfois quand tu m'observes en douce redoutant

Dieu sait quoi, moi maudissant ton père de m'avoir traînée là, ton père qui n'avait pas prononcé un seul mot depuis que l'autre s'était mis à rugir, qu'attendait-il de cette entrevue, encore aujourd'hui il m'arrive de me demander s'il n'était pas un peu comment dire idiot ou disons plutôt naïf, mais comment savoir n'est-ce pas ce que les gens ont derrière la tête, je me souviens de ton père trépignant devant la porte de ma chambre pendant que j'enfilais ma robe en quatrième vitesse, de ton père me disant d'une voix presque suppliante dépêche-toi mais dépêche-toi, de plus en plus inquiet et silencieux à mesure qu'on s'approchait de la maison et qu'on la voyait grandir à travers les feuillages, je me souviens du bruit de nos pas résonnant sous la voûte épaisse et sombre des tilleuls, de son corps maigre et maladroit se recroquevillant de plus en plus comme pour se protéger des coups de créatures invisibles, je n'osais plus lui parler ni le toucher, il me semblait si loin, je me souviens du rideau retombant contre la vitre du salon quand la maison s'est dressée derrière les arbres, des allées couvertes de mousse et de liserons qui ondulaient dans le parc, des massifs de fleurs défaits, des lauriers mal taillés d'où émergeaient de longues branches maigrichonnes aux feuilles presque blanches, de la vigne-vierge aux feuilles orangées courant sur les murs, sur les toits, sur le sol, des orties bordant les bosquets, des ronces grimpant dans les arbres, de l'odeur des médicaments et du tabac froid quand il a poussé la porte d'entrée, des regards inquisiteurs de la bonne et de la cuisinière nous espionnant à travers la rampe d'escalier et s'éclipsant aussitôt dans un frou-frou de robes, de ses parents nous attendant raides comme des piquets sur leur vieux canapé vert et ne daignant pas se lever ni se fendre d'un sourire de bienvenue, plutôt crever, et tandis que le vieux débitait ses horreurs je pensais que si ton père m'avait donné plus de temps pour réfléchir je ne serais sans doute pas venue ce jour-là avec lui, pas plus que je ne serais venue un autre jour, je lui aurais fait comprendre que je ne voulais pas de ce mariage qui ressemblait à tout sauf à un mariage, à un règlement de compte plutôt, que je ne voulais pas à être mêlée à leurs sales histoires, que ses parents me faisaient horreur et qu'il valait mieux oublier ce qui n'était après tout qu'une amourette alors à quoi bon pleurer ou supplier, n'est-ce pas, voilà ce que je lui aurais dit, au lieu de quoi ton père ne m'a même pas donné le temps de mettre une robe convenable, dépêche-toi mais dépêche-toi, je fixais les volutes de fumée qui s'élevaient du canapé, les branches du séquoia qui s'agitaient et craquaient sous les rafales de plus en plus cinglantes, les rideaux blancs qui se gonflaient et se dégonflaient comme des ballons de baudruche, pensant qu'on en finisse enfin qu'on en finisse, moi empêtrée dans cette robe à pois que ta grand-mère détaillait avec circonspection quand elle ne bâillait pas de contentement en écoutant son mari nous cracher ses saletés à la figure, ruminant celles qu'elle me glisserait bientôt à l'oreille, osant de temps en temps un tu exagères tout de même pour épargner son fils qui se décomposait de seconde en seconde, quelle cloche, à aucun moment elle ne s'est dit que ces belles paroles valaient aussi pour elle et qu'il l'avait choisie comme il aurait voulu que son fils me choisisse moi c'est-à-dire pour l'argent ou le prestige ou les deux à la fois ou je ne sais quoi encore dont il aurait pu s'enorgueillir par la suite, le mariage de son fils devenant sa réussite à lui, des chiens, mon fils, des chiens, répétait-il sans cesse à ton père qui n'écoutait que d'une oreille lorsqu'il commençait à évoquer sa succession à la mairie et à la tête de la propriété, il faut les mater, car il ne s'embarrassait pas de

164

longs discours pour lui exposer de quelle manière délicate il entendait diriger ses affaires et mener son monde à la baguette, il ne s'agissait pourtant que d'affaires de rien du tout parce qu'on la connaît l'histoire, ton grand-père se gargarisant de sales coups et de triomphes à la manque, brûlant j'en suis sûre maintenant la maison de ses parents et s'évanouissant dans la nature, épousant ta grand-mère après avoir séduit ses parents, trafiquant Dieu sait quoi pendant la guerre, gravissant l'escalier du notaire et vidant sous son nez un sac de pièces et de billets de banque, régnant pour finir en hobereau sur sa commune d'à peine plus de mille habitants et son château de pacotille hérissé d'ardoises et de cheminées qui s'écroulaient au rythme des tempêtes de sorte que pendant des mois il pleuvait et grêlait partout dans la maison, on voyait tout à coup des dizaines de grêlons s'abattre dans l'âtre de la cheminée, se transformer en filets de vapeur au milieu des flammes ou rebondir sur le parquet sur lequel ils laissaient une petite flaque d'eau fraîche grosse comme le pouce, on entendait les gouttes de pluie dégringoler dans les conduits et s'écraser dans un murmure sur le tapis de cendres bientôt percé de minuscules cratères plus noirs encore que la

165

suie, après la tempête on attendait parfois des mois avant que la cheminée et la toiture soient réparées autant dire qu'entre-temps on pouvait commencer à compter les fissures au plafond, ton grand-père posant sa main sur l'épaule de ta grand-mère, aussi chaleureux qu'un porc-épic, s'y appuyant du haut de son mètre quatre-vingt-dix et la tapotant comme on flatte un chien à qui on vient présenter son aumône, lui pinçant le cou, un su-sucre pour le chien-chien, disant c'est bien, toi, au moins, tu fais ce que je te demande, et elle, contente qu'il lui témoigne ce qu'elle considérait de fait comme une marque d'affection et de reconnaissance mais retenant tout de même une grimace de douleur quand il la pinçait, soupirait d'aise, se trémoussait, souriait de toutes ses dents et rapetissait encore un peu plus sous l'emprise de sa main immense qui laissait sur son cou des marques blanches lorsqu'il la retirait, qui sans le moindre effort aurait pu la soulever de terre, vieille poupée de chiffon battant des jambes dans le vide, noueuse et sèche comme un pince-oreille, à les voir ainsi tous les deux on se disait qu'il lui aurait suffi de serrer un peu juste un peu pour qu'elle tourne de l'œil et se mette à voir trente-six chandelles, combien de fois ai-je eu envie de lui tor-

166

dre le cou à cette vieille chouette, sans effort, du bout des doigts, comme on tord le cou des pigeons avant de les plumer, couic, un sac de plumes tombant sur le sol dans un soupir, hoquetant, ses ongles grattant le sol, puis s'immobilisant dans un dernier soupir, encore que ce ne soit pas tout à fait juste car les corps sont toujours beaucoup plus lourds qu'il n'y paraît, c'est même très surprenant, mais peu importe, tu me trouves odieuse, n'est-ce pas, sans doute as-tu raison, je t'assure pourtant qu'il n'y en avait pas un pour rattraper l'autre, j'ai souvent comparé leur méchanceté à une ronde infernale, ta grand-mère m'infligeant en retour le mal qu'il lui faisait, bon, et puis bien sûr il y a eu cette histoire avec la bonne, alors là c'était le bouquet, le jour où ton grand-père a remporté ses dernières élections, en quelle année était-ce, je ne sais plus, à dire vrai je n'en croyais pas mes yeux quand je les ai surpris se tortillant là tous les deux sur la table de la cuisine au milieu de la vaisselle sale et des bouteilles vides pendant que les invités dansaient et s'enivraient dans le salon avec application, la bonne, donc, couchée sur le dos, ses jupes retroussées jusqu'au nombril, gémissait comme un agneau et agitait les bras, pendant que ton grand-père, soixante-dix ans et des poussières, allait et venait au-dessus d'elle dans un tremblement de vaisselle, bretelles et pantalon sur les chevilles, soufflant comme un buffle, empoignant le haut de ses cuisses et lui mordant les épaules sur lesquelles avait glissé son chemisier de dentelle blanche, et là quand même j'ai plaint ta grand-mère qui par bonheur s'enivrait avec les autres au salon, c'est la seule et unique fois de ma vie où je l'ai vue aussi saoule, tanguant de chaise en chaise, se rattrapant de justesse au bras du premier venu, marmonnant tout un tas d'obscénités et d'insultes qu'elle ne prononçait jamais d'habitude, nous traitant tous de fils de pute et nous recommandant chaudement d'aller nous faire foutre, finissant en douce les verres qui traînaient sur la table, sur la cheminée, se tordant sous la musique qui pleurnichait sur le tourne-disque, ah la belle Catarinetta, tchi tchi, ou je ne sais quelle idiotie de ce genre, dont elle raffolait, agitant sa robe auréolée de vin comme une danseuse de cabaret, les derniers invités partis on l'a supportée toute la nuit, ton père et moi, elle surgissait dans notre chambre à tout moment, se plantait dans l'embrasure de la porte et nous regardait d'un œil inexpressif, titubant de fatigue et d'alcool dans la chemise de nuit blanche qu'on lui avait mise à grand-peine, ton grand-père quant à lui s'était remis de ses exploits et ronflait dans la chambre d'à côté, tout de même.

Mise au point

Il lui semblait que, derrière le visage joufflu et rougeaud qui s'agitait à un mètre de lui, posé comme un trophée sur les broderies dorées et satinées de l'habit de cérémonie traditionnel, encadré par deux colonnes en plâtre tronquées à mi-hauteur et dressées de chaque côté de l'autel dont elles constituaient sans doute un ornement en dépit des centaines de moisissures vertes qui couraient à leur surface, à peine plus grosses que des crottes de mouche, colonnes doriques en toc couronnées de pots de terre cuite pareils à des vasques dans lesquels on avait installé pour la circonstance des gerbes de fleurs blanches agrémentées de larges rubans, il lui semblait que des nappes de brouillard – en vérité de simples bancs de poussière balayés par la lumière blafarde tombant du vitrail en verre blanc – rasaient le sol avec la lenteur d'un gros reptile et se perdaient dans l'épaisseur des murs (rêve d'enfant : parvenu en haut de l'escalier qui conduit au grenier, son regard est attiré par une table de chevet de la couleur d'un poumon, dont les poignées noires vernies brillent dans les brumes qui ont envahi le palier à son arrivée ; il lui suffit d'effleurer les bords de la table de chevet tiède et lisse comme la peau du ventre pour que le mur de briques contre lequel elle est adossée se scinde en deux parties égales et s'ouvre sur un trésor de pierres et de bijoux précieux formant sur le sol des collines scintillantes, débordant de coffrets en cuir d'où sortent en courant des elfes, des djinns, des trolls, des korrigans, des farfadets, des rats aux ailes de perroquet, des poissons aux oreilles de lynx, des pigeons au pelage tigré, des anguilles aux plumes soyeuses, des mésanges aux ailes d'écailles ; mais le temps lui est compté ; il doit quitter au plus vite les lieux s'il veut conserver sa liberté et peut-être même sa vie ; il remplit ses poches de pierres et de bijoux, et s'en va ; lorsqu'il se retourne, sa main posée déjà sur la rampe de l'escalier, la brume a disparu, tout comme la mystérieuse table de chevet couleur de poumon).

Il avait froid. Il n'osait pas se tourner vers elle, dont il devinait la présence sur sa gauche, une forme blanche indéfinie, immobile et de petite taille : il imaginait un cocon géant tenant dans ses mains un bouquet de fleurs et cette image lui faisait horreur. Il se souvenait de la main sale et boudinée du prêtre tournant les pages épaisses de son livre, des renflements autour de ses ongles là où il s'arrachait jusqu'au sang de petites peaux, de ses joues grasses piquées de poils mal rasés, de sa voix timorée ânonnant les Épîtres que sa mère avait choisies pour la cérémonie, bégayant de telle façon que les mots s'immobilisaient dans sa bouche, sur ses lèvres, lesquelles s'ouvraient et se refermaient aussi vainement que les bras de celui qui se noie, puis ils déferlaient à nouveau, comme poussés par un organisme invisible dont l'énergie aurait été trop longtemps contenue, sans que l'on pût expliquer avec précision ce qui s'était soudain débloqué à l'intérieur, la luette, la glotte ou la langue (pendant ce court laps de temps on entendait s'élever des travées des soupirs d'impatience, des chuchotements, des froissements de robes contre les bancs humides et glacés de l'église dont la laideur lui était apparue pour la première fois – pa-pa-pa-reillement-l'ho-

172

l'ho-l'homme-ne-ne-di-di-di-dispose-pas-de-s-s-son-corps-mais-la-femme –, cette petite église aux murs rongés de salpêtre dont l'odeur aigre titillait ses narines, la même odeur que déga-geaient les armoires de la maison quand on les ouvrait, dans lesquelles sa mère, depuis qu'il était enfant, empilait ses vêtements avec la même application qu'elle mettait à dépoussiérer les petits cadres du salon et de la salle à manger où jaunissaient les visages de la famille – maman et ses reliques), il se souvenait du prêtre adres-sant à ses parents du haut de son estrade un regard éperdu de confusion, tordant entre cha-que bégaiement ses mains à hauteur de son es-tomac comme un enfant craintif récitant une leçon dont ne lui revenaient que des bribes, p-p-p-pardon, ce n'est pas de ma faute, il se souvenait de son attitude à lui lorsqu'il accom-pagnait son père jusqu'au village, tassé sur la banquette arrière, les yeux levés vers les arbres qui bordaient la route et dont il essayait de mémoriser la forme, il aurait voulu que ce défilé d'arbres ne s'interrompît pas et que la voiture continuât à rouler, qu'elle traversât le village et poursuivît de l'autre côté des collines, franchît la rivière et les menât jusqu'en ville où il aurait disparu, ouvrant soudain la portière et

sautant à pieds joints sur le trottoir, s'engouf-
frant dans une ruelle et courant de toutes ses
forces jusqu'à ce que la silhouette imposante
de son père se perdît derrière une maison, un
immeuble, dans la foule. Il se souvenait de cette
impression qu'il avait toujours lorsqu'il se
retrouvait seul avec lui, de comparaître devant
un tribunal. Il se souvenait que sa passion,
l'unique passion de son père le concernant,
avait consisté à inventer celui qui serait bientôt
digne de lui succéder, et lui, figé dans une posture qui ne manquait pas d'attiser ses commen-
taires impatients, de plus en plus impatients à
mesure qu'il grandissait et s'éloignait de l'idée
que son père se faisait d'un fils, son père répétant à l'envi devant sa mère devant n'importe
qui mais tiens-toi droit sacré bon sang et ne
baisse pas les yeux quand on te parle, regarde-
moi dans les yeux non mais quel abruti, une
vraie chiffe molle, il saisissait alors son menton
et le forçait à redresser la tête, à lever les yeux
vers lui, lui soufflait la fumée de sa cigarette
dans la figure, sans doute eût-il fallu apprendre
à se battre et à lui résister mais comment
(quand ils habitaient encore dans leur maisonnette en bordure du village il accompagnait
souvent sa mère à l'église : elle s'agenouillait

sur un prie-Dieu et semblait s'y endormir, du moins imaginait-il cela, l'esprit de sa mère s'envolant et emportant avec lui les signes perceptibles de la vie, la tiédeur de sa peau, le clignement de ses paupières, les palpitations de cœur lorsqu'elle le serrait fort contre elle, seules tremblaient, pendant l'heure qu'elle passait repliée sur le prie-Dieu, seules tremblaient ses lèvres, et ses mains, recroquevillées sur leur chapelet), il se souvenait des yeux mouillés du prêtre se posant à nouveau sur eux lorsque, l'un après l'autre, ils échangèrent leur promesse de fidélité et d'amour éternels, il se souvenait de la lumière blanche qui avait envahi l'église lorsqu'on avait ouvert les portes, une lumière aveuglante où dansait la poussière, il se souvenait du photographe qui les attendait sur les marches, sautillant pour se réchauffer, on avait installé à nos pieds plusieurs bouquets de fleurs, des fleurs blanches, regardez par ici le petit oiseau va sortir voilà ça y est, la photographie terminée on s'est ébroué comme des chiens au sortir de l'eau, je l'ai embrassée sur la joue, doucement, et j'ai passé mon bras sous le sien, il m'a semblé qu'elle avait pleuré mais peut-être la lumière du dehors la gênait-elle, chacun a regagné sa voiture, les portières se sont mises à claquer tout autour de l'église, et un défilé de voitures noires a pris le chemin du Château.

Il pensait qu'il avait ceci de commun avec sa mère que sa résistance à l'autorité grossière et écrasante de son père avait été nulle, jusqu'à son propre mariage, dont il avait pourtant souhaité qu'il constituât une réponse, fût-elle malhabile, aux années de solitude qui avaient marqué son enfance, son adolescence, puis son entrée dans l'âge adulte – ensuite tout était allé très vite. Il pensait que c'était pour cette raison qu'il n'avait jamais pu la détester, tout au plus l'avait-il méprisée (encore ce sentiment n'apparut-il que fort tard, lorsqu'elle n'était plus qu'une vieille femme oublieuse et pleurnicharde, il était marié depuis déjà plusieurs années) pour sa faiblesse et son obstination à voiler une réalité aussi médiocre que sordide, lesquelles l'avaient l'une et l'autre conduite à cette adoration répugnante, bien qu'il fût difficile de savoir ce qui, de l'autoritarisme de son père ou de l'adoration de sa mère, avait été premier dans cette histoire. Il est probable que l'un nourrissait l'autre, que l'existence de l'un justifiait celle de l'autre. Quoi qu'il en fût de la façon dont il convenait de considérer à présent les faits, les pensées, les désirs ou les intentions de chacun, cet autoritarisme l'avait conduit, lui, le fils indigne, à une détestation qui n'avait cessé de grandir avec le temps, que la mort même de son père avait à peine adoucie. Il se répétait que le mal était fait et qu'il fallait non le fuir ou l'oublier mais faire avec. Il n'avait rien à espérer de mieux. Il ne croyait pas que l'on pût infléchir ce qui n'était plus une pensée ou un acte accompli en toute conscience mais une façon d'être étrangère à toute forme de volonté, quelque chose qui ressemblait fort à la fatalité bien qu'il ne s'agît pas de cela non plus, un réflexe plutôt, une crainte irraisonnée contre laquelle il ne pouvait rien. Il lui semblait que son père l'avait privé de l'usage de la parole et que, pour ridicule ou lâche ou bien encore inconséquent que cela pût paraître, il avait espéré que son mariage la lui redonnerait.

Dans les années qui suivirent, il vécut dans le dégoût de sa propre faiblesse et du silence auquel il n'avait pu s'arracher, croyant sans doute qu'on l'y aiderait, mais ces choses-là n'arrivent pas de sorte qu'il était resté seul. Quant à Edith, qu'il avait passionnément aimée (mon enfant mon ange mon seul bien), elle l'avait oublié, elle aussi, s'était réfugiée en un lieu auquel un jour plus personne, pas même lui, n'avait eu accès.

(Et lui, ressassant les mêmes vaines paroles, qui tournaient dans son esprit comme les oiseaux noirs au-dessus des cadavres, ces oiseaux noirs dont parlaient les vieux, dont parlait son père lorsqu'il évoquait la guerre, les charognards tournoyant de longues minutes au-dessus des charniers, piquant du nez, fourrant leur bec dans la chair froide des soldats, lui pensant pourquoi ne suis-je pas parti lorsqu'il était encore temps, lorsque la vie qu'ils me proposaient tous les deux me faisait encore horreur, pourquoi ne suis-je pas parti lorsque la vie dont ils avaient rêvé pour moi m'inspirait encore assez de dégoût sinon pour partir du moins leur opposer un refus catégorique, lui, se redressant après des années de silence et disant enfin à son père : non, je ne veux pas de cette maison, je ne veux pas de cette terre sur laquelle rien ne pousse, je ne veux pas vivre auprès de ces gens que tu traites comme des chiens et qui pensent que je suis comme toi, je ne veux pas être cet homme-là parce que je te hais – mais il s'était tu.)

Des images de rien

Pour mon anniversaire maman m'offre des chapeaux. C'est moi qui lui demande de m'en offrir parce qu'elle n'y penserait pas toute seule. Je crois en effet que maman n'a pas beaucoup d'imagination. Elle ne connaît rien à la mode et n'a jamais su s'habiller avec goût. Plein de couleurs tristes assorties n'importe comment.

J'ai une belle collection de chapeaux aujourd'hui, que je range dans un placard prévu à cet effet, quatre chapeaux par étagère, pas plus. J'ai été obligée de me débarrasser des cartons qui prenaient trop de place. C'est dommage car ils étaient jolis, ces gros cartons tout ronds, décorés de rubans de satin, de velours, de soie. Je ne sais pas où je mettrai les autres chapeaux car le placard est presque plein maintenant.

Souvent quand je m'ennuie ou quand je suis triste mais quelquefois aussi pour un rien pour

les regarder c'est tout, je les sors et je les étale
sur mon lit. Ça fait un beau désordre de plumes, de fleurs, de rubans multicolores. Je
m'amuse à les essayer devant la glace, faisant
des mines sous mes chapeaux, chapeaux de
paille, paille de Dunstable, de Java, de Tos-
cane, chapeaux de velours, velours de soie, de
satinette, de coton, chapeaux de gaze, de crêpe
de Chine, de dentelle, de lin, de coutil, chapeaux garnis de plumes, plumes d'autruche,
de paon, d'oiseau de paradis, de pigeon, d'oie,
de dindon, chapeaux garnis de fleurs, fleurs
en soie, en coton, en velours, en mousseline,
en tulle. Je m'arrange toujours pour choisir
une tenue qui soit assortie au chapeau : robe,
chaussures, foulard et tout le tralala, un peu
de maquillage, fard aux joues, rouge à lèvres,
mascara, bandeau ou foulard dans les cheveux,
quoi qu'en pense maman qui, outre le fait
qu'elle n'est pas du tout compétente pour
juger de ce genre de choses, voit tout ça d'un
très mauvais œil, selon elle une manie coû-
teuse, d'autant plus absurde et ridicule que je
ne sors jamais, enfin pas dans le sens où on
l'entend d'habitude c'est-à-dire que je ne vais
presque jamais en ville, que je ne me rends à
aucun dîner ou anniversaire ou réunion de ce

genre puisque je n'ai pas d'amis, maman me demandant à quoi te servent donc toutes ces fanfreluches puisque tu n'as pas d'amis puisque tu ne connais personne est-ce que tu peux me dire à quoi elles te servent hein et ce que tu fais de tous ces chapeaux ridicules, couverts de plumes, de voiles et de dentelles, qui s'entassent sur les étagères poussiéreuses de ton placard. Autant dire que je ne perds pas mon temps à essayer de lui expliquer que je ne vois pas pourquoi le fait de ne pas avoir d'amis m'empêcherait de vouloir être élégante ou d'aimer les chapeaux. Quelquefois je pense que maman est bête.

Je n'aime pas que maman m'appelle ma pauvre enfant. Ma pauvre enfant par-ci, ma pauvre enfant par-là. Tous ces reproches. Toutes ces choses que je ne fais pas correctement. Je ne suis la pauvre enfant de personne. De qui serais-je la pauvre enfant ? Il faudra que je dise un jour à maman qu'elle raconte n'importe quoi et qu'il faut réfléchir à ce qu'on dit si on ne veut pas faire de peine. Il faudra qu'elle apprenne à me parler sur un autre ton aussi. Je dois penser à lui dire ça, oui, qu'elle use avec moi d'un autre ton. Il ne faut pas que j'oublie. Edith, tête de linotte, tu sais ce qu'on dit de toi. Il est temps pour moi de partir.

Ainsi bientôt je serai orpheline.

Ils étaient quatre, ployant et tremblant sous le poids du cercueil qu'ils portaient au creux de l'épaule et recalaient d'un geste nerveux de peur qu'il ne glisse, descendant une à une les marches de l'escalier de pierre. Le cercueil ensuite a disparu dans le corbillard que les croque-morts avaient garé sous les tilleuls immobiles, face à la grille. Des gerbes de fleurs multicolores s'écrasaient contre la vitre arrière. Dans la matinée plusieurs personnes sont venues que je ne connaissais pas. Elles se sont inclinées devant le corps de papa qui commençait à sentir vraiment mauvais et ont embrassé son front, réprimant une grimace de dégoût. Ensuite ils ont refermé le cercueil. Ce jour-là encore il faisait très chaud. Les croque-morts engoncés dans leur costume bleu marine sentaient la sueur.

Tous ces visages dont j'ai oublié les noms. Vers de terre sans nom. Cache-cache, chat-perché, colin-maillard, loup y es-tu ? Quelle perte de temps parce que bien entendu au bout du compte rien ne vient c'est-à-dire que je ne sais toujours pas d'où ils sortent moi ni comment ils s'appellent, leur nom sur le bout de la langue, et puis rien. Qui sont-ils ? Peut-être que si j'arrivais à me souvenir de leur voix leur nom me reviendrait. C'est ce que je me dis souvent. Il suffirait d'un rien, une pichenette, une claque sur la tête pour secouer les poussières à l'intérieur, pour les faire tomber, bing. Ma tête, une vraie passoire, rien que de l'air là-dedans. Notez qu'il est possible aussi qu'ils n'existent pas je veux dire qu'il est possible qu'ils n'existent que dans mon esprit mais comment savoir. C'est que nos rêves nous jouent quelquefois de sales tours, vessies pour des lanternes, tant et si bien qu'on risquerait gros à se prétendre capable de distinguer le vrai du faux. En tout cas moi je ne m'y risquerai pas. De toute façon il y a longtemps que je me suis résignée à pas grand-chose. Il faut bien se montrer raisonnable. Depuis quelque temps je ne suis plus très sûre de mon esprit. Je n'arrive plus à le discipliner. Vessies pour des lanternes, ainsi que je l'ai déjà dit.

Qui se souviendra de moi ?

Comptes à rendre, reproches toujours, moi qui ne dérange personne et qui ne fais rien de

plus en somme qu'assister au spectacle, c'est-
à-dire que je regarde ce qui se passe comme on
regarde au cirque le trapéziste se jeter dans le
vide, les lions entrer dans la cage. On tremble
un peu. Murmures et frémissements sous le cha-
piteau et pour finir envolées de hourras, de bra-
vos. Moi qui tout à coup ne sais plus ce que je
suis venue faire ici, maman me prenant par les
épaules et disant c'était il y a longtemps je ne
sais plus très bien quand c'était quelle drôle de
tête tu fais Edith ma petite fille Edith tu
m'entends c'est maman où es-tu mon enfant où
es-tu ?

Il me faudrait dormir. Mes yeux se ferme-
raient sur mon effroi, sur mes images de rien,
mes images sans nom, et puis j'oublierais tout.
Dans mon sommeil il n'y aurait plus de bruit.
Tout s'arrêterait de tourner. Je me reposerais.
Une valse, une valse qui n'en finit pas et la
tête qui tourne, qui tourne, comme si c'était
elle qui débloquait et qu'il fallait remettre à
l'endroit. Petite mécanique enrayée. Ce n'est
pas bien, toute cette agitation. Ce n'est pas
bien.

Journal d'Edith.

Le sentier était escarpé et plein de pièges. Il fallait surveiller les dénivellations qui surgissaient derrière les rochers et donnaient le vertige, faire attention de ne pas se prendre les pieds dans les racines, de ne pas déraper sur les cailloux qui s'entassaient au creux du sentier, s'assurer qu'il n'y avait pas sur les rochers de vipère endormie. Il lui était arrivé plusieurs fois d'en surprendre une au milieu du chemin, enroulée sous le soleil, qu'elle chassait en lui jetant des cailloux ou en tapant du pied. La vipère enfuie, elle reprenait sa marche. Elle sentait son cœur battre dans sa poitrine. Elle savait que, lorsqu'elle se sentait menacée, une vipère pouvait s'élancer vers l'intrus, ondulant ou plutôt bondissant sur le sol avec une rapidité étonnante, et le mordre. Pendant la saison des amours, des dizaines de vipères mâles et femelles s'entrelaçaient dans les hautes herbes des champs arides, formant une sphère lascive et vibrante, qu'on ne pouvait déranger sans encourir un danger mortel : l'écheveau se défaisait, se dénouait, se fondait dans les herbes, et c'était alors des dizaines de vipères qui se précipitaient vers vous en sifflant.

Elle construisait des barrages au bord de la

rivière avec des branches mortes, de la terre brune mêlée de sable blond qu'elle transportait de la rive dans ses mains. Lorsque le niveau de l'eau était assez bas, elle sautait de pierre en pierre jusqu'aux blocs de granit, grimpait sur le plus haut d'entre eux et criait de toutes ses forces, ses mains en porte-voix, guettant l'écho qui lui parvenait avec tant de retard qu'elle se laissait surprendre.

Elle se réveille avec le soleil. À la surface des eaux calmes de l'étang flottent des nappes de brouillard filandreuses, qui se déplacent, se déforment, s'étirent avec lenteur, d'où émergent çà et là des touffes de roseaux, de joncs, de massettes, d'acores. Elle va s'asseoir dans l'embrasure de la porte, les yeux fixés sur les rais de lumière orangée qui se joignent maintenant aux nappes de brouillard. Une odeur de vase monte de l'étang et se mêle à celle des feuilles mortes qui jonchent le sol humide et frais, couvert de mousse. Elle se lève et redescend vers la rivière, traînant toujours sa valise. Elle aperçoit devant elle, à quelques centaines de mètres, les arches métalliques du pont de chemin de fer. Elle inspire profondément, sent l'air froid pénétrer dans ses poumons. Elle ferme les yeux. Ses mains et ses pieds sont glacés mais elle ne ralentit pas son effort. Elle imagine la surprise de sa mère lorsqu'elle s'apercevra tout à l'heure qu'elle est partie : l'armoire presque vide, les draps et les couvertures soigneusement tirés. « Edith n'a jamais rien su faire. Edith ne sait rien faire. » « Allez savoir ce qu'elle a dans la tête, cette fois. » « Pauvre Edith. Quel gâchis. » « Pourquoi es-tu partie ? Pourquoi m'as-tu abandonnée ? Réponds-moi, mon enfant. »

Table des matières

CET OUVRAGE A ÉTÉ ENRICHI ET ACHEVÉ
D'IMPRIMER LE DOUZE FÉVRIER MIL NEUF CENT
QUATRE-VINGT-DIX-HUIT DANS LES ATELIERS DE
NORMANDIE ROTO IMPRESSION S.A.
À LONRAI (61250)
N° D'ÉDITEUR : 3217
N° D'IMPRIMEUR : 972239

Dépôt légal : février 1998